BUFFETS de
Cocktails et Receptions

Jean-Claude GODON,

Professeur de cuisine au Lycée Hôtelier de Grenoble

Photos : S.A.E.P./J.L. Syren

Dormonval

Signification des symboles
accompagnant les recettes

Recettes
- ✕ élémentaire
- ✕ ✕ facile
- ✕ ✕ ✕ difficile

Recettes
- ◯ peu coûteuse
- ◯◯ raisonnable
- ◯◯◯ chère

Les repas fastueux des cérémonies de jadis tendent à disparaître pour être remplacés par des réceptions mieux adaptées à notre monde moderne.

Buffet, cocktail, lunch, buffet campagnard, sont des termes devenus usuels... Mais donner une définition précise de chacun d'eux est parfois malaisé.

le Buffet

Il se présente sous la forme d'une grande table à un ou plusieurs niveaux, garni de rafraîchissements et de comestibles destinés aux invités d'une réception lorsque leur nombre empêche un service traditionnel. Il convient alors d'attacher une importance particulière à la décoration et à la présentation de ses différents éléments.

Par extension, le terme "Buffet" est devenu la définition d'un mode de service. Les convives viennent choisir sur le buffet par opposition au service traditionnel à table, d'où les appellations "Buffet lunch" et "Buffet cocktail".

le Cocktail ou ˝Buffet Cocktail˝

De nombreuses occasions fournissent un prétexte à ce type de manifestation, notamment les relations publiques : vin d'honneur, lancement d'un produit, anniversaire, départ à la retraite, inauguration, vernissage, visite d'entreprise, remise de décoration.

Toutes les préparations cuisinées ne doivent nécessiter ni couvert, ni assiette personnelle. Ceci implique que "les petites pièces cocktail" puissent se déguster rapidement (une ou deux bouchées). Ces petites pièces peuvent être salées froides (canapés, sandwiches...), salées chaudes (feuilletés, quiches, pizzas, escargots en bouchées...) ou sucrées (tartelettes, gâteaux miniatures, petits fours...).

Tous les aliments sont disposés sur des plats ou des plateaux. Un buffet est dressé à cette occasion : boissons, verres et plateaux, "de petites pièces cocktail" y sont disposés d'où l'appellation "Buffet cocktail".

Les invités restent debout. Soit ils se servent directement au buffet, soit des plateaux garnis leur sont présentés. Ce circuit de plateaux est assez cérémoniel et revêt un caractère plutôt solennel. Le "Buffet campagnard", traité plus loin, avec son atmosphère plus détendue, est à l'opposé du "Buffet cocktail".

Les boissons de prédilection de ce genre de réunion sont le champagne, le porto, le whisky, le vin blanc et les jus de fruits.

Le cocktail n'est pas un véritable repas.

le Lunch ou "Buffet Lunch"

Le lunch est une réception qui se présente sous la forme d'un repas servi au buffet.

Introduit en France dès la première moitié du XIXᵉ siècle, le mot "lunch" désignait alors un buffet froid dressé notamment à l'occasion d'une réception où l'on devait traiter un grand nombre d'invités qui se restauraient debout. Un lunch de cette nature comportait outre les canapés, les petits fours, les fromages, les fruits et les entremets, quelques pièces importantes de volaille en "chaud-froid", des poissons en gelée et des jambons glacés.

Dans les pays continentaux, de nos jours, le lunch ou plus précisément le "buffet lunch" est un repas froid du même type. Mais "les lunchs debout" ont tendance à disparaître pour faire face à des "Buffets lunchs assis".

Chaque convive a une place assise. Il vient régulièrement au buffet pour se servir "à l'assiette" et regagne sa place afin de déguster confortablement l'assortiment choisi. Le bar peut être dissocié du buffet.

Le "Buffet lunch assis" est une formule souvent utilisée lors des mariages.

le Buffet campagnard

Moins formel et moins classique que le "Buffet lunch", il permet plus de liberté dans le choix des mets. **C'est un repas servi au buffet sous une forme rustique**.

A l'origine, le buffet campagnard se limitait aux saucissons, au jambon de pays, aux pâtés ou terrines, accompagnés d'un vin gaillard, de miches croustillantes. Le tout servi sur quelques nappes à carreaux, si possible dans le jardin.

Il n'est pas interdit de dévier un peu, sous réserve de ne pas tomber dans l'excès et de bien conserver le caractère original lié à cette formule particulière. La présentation demeurera simple et s'attachera à donner par tous les moyens possibles l'impression d'abondance : motte de beurre, vin (unique) proposé au tonneau, viandes froides et volaille présentées directement sur la planche à trancher. Des salades composées compéteront agréablement ce buffet campagnard.

Toujours pour rester dans cette ligne d'abondance et de simplicité, le nombre des fromages sera limité : mieux vaut présenter, plutôt qu'un choix très détaillé, des fromages entiers (brie, gruyère, fromages régionaux). Quant aux spécialités sucrées, elles seront choisies elles aussi dans le même esprit rustique ; pas de gâteaux élaborés mais plutôt de belles tartes, des galettes.

Le buffet campagnard, comme son nom l'indique, doit se placer sous le signe de la rusticité, qu'il s'agisse des mets, du décor ou des boissons.

Il doit susciter un climat détendu "comme à la campagne", chaque convive constitue à son gré son assortiment.

Bien que simple, le buffet campagnard est une façon de recevoir très à la mode car il se distingue par sa spécificité.

Il n'y a pas dans le domaine des "buffets et cocktails" de règles strictes, l'imagination restant souveraine.

Ce recueil apporte des conseils pratiques qui permettent de faire face à tous les problèmes posés pour l'élaboration et la réussite de ce type de réception, des idées qui, personnalisées et exploitées avec goût, feront la joie des invités.

Organiser la Reception

Quelle que soit son importance, une réception ne s'improvise pas, il faut y réfléchir, sa réussite dépend avant tout du sérieux apporté à son organisation.

LE NAPPAGE

Pour dresser le "buffet", l'idéal est de disposer d'une table de 1 m de hauteur, 0,80 à 1 m de largeur et d'une longueur variable selon le nombre de convives (2,50 m pour 30 personnes).

Le type donné à la réception déterminera le choix du nappage, une nappe blanche conviendra à un "buffet d'apparat", nappes à carreaux ou fleuries correspondant mieux à un buffet rustique ou champêtre. Aux nappes unies tout peut convenir, associations comme oppositions avec les différents éléments de la décoration (vaisselle, fleurs, serviettes, objets divers).

Cette nappe recouvrira entièrement la table et tombera au ras du sol sur le devant et les côtés. Utiliser des épingles pour relever les coins de la nappe afin de former des angles droits. La face arrière du buffet doit rester dégagée afin de pouvoir accéder facilement au dessous de la table qui sert de "réserve" (casiers pour bouteilles vides, torchons, serviettes, bacs pour rafraîchir les boissons, cendriers, etc.).

Une table à débarrasser placée à 1 mètre environ à l'arrière du buffet rendra grand service.

Pour une réception à l'extérieur ou dans une pièce assez grande, le buffet pourra être divisé en plusieurs parties (buffet principal, buffet desserts, buffet boissons, etc).

Les "serviettes traditionnelles" en tissu sont parfois utilisées, la solution la plus pratique restant les serviettes jetables blanches ou de couleur, de grandeur moyenne.

"JUPONNAGE" OU "PLISSAGE" D'UNE NAPPE

Le buffet sera plus élégant si le nappage arrive au ras du sol et donc recouvre entièrement la table en supprimant la vision des pieds.

Il est rare de posséder des nappes assez grandes pour atteindre ce but, le recours à plusieurs pièces est pratiquement inévitable, alors le "juponnage" ou le "plissage" de la nappe du "tour" est recommandé : napper normalement, "faire le pourtour" du buffet en accrochant une deuxième nappe de la hauteur de la table à la première à l'aide d'épingles.

Effectuer alors des plis réguliers de 10 à 15 cm de largeur.

LE PLIAGE DES SERVIETTES

Choix des produits, originalité des recettes, à point de cuisson, assaisonnement, finition des sauces et présentation sont les critères de base à observer pour une cuisine de qualité.

Pour un repas traditionnel, les plats ne font que « passer », par contre lors d'une réception, les préparations choisies sont déposées sur le buffet à l'avance ; les invités ont donc dans ce cas tout le temps d'observer, de contempler, de « déguster des yeux » les différents mets.

La présentation « notion visuelle » de la cuisine acquiert une importance prépondérante lors d'une réception.

Les trois pliages simples de serviette ci-contre donnent du relief et de l'originalité à un buffet.

SERVIETTE « EN ARTICHAUT »

Pour agrémenter la présentation des mets « de forme ronde » (pain surprise rond, hérisson de poissons fumés, chou rouge piqué de « bagatelles », charlottes aux fruits, grosses brioches garnies...) ou d'aliments frits (ailerons de poulet au curry, beurrecks à la turque, beignets divers...).

1. Utiliser une serviette carrée, rabattre les 4 coins vers le centre.

2. Retourner la serviette (plis dessous).

3. Rabattre de nouveau les 4 coins vers le centre.

4. Retourner.

5. Rabattre les 4 coins une troisième fois vers le centre.

6. Former les 4 cornes.

SERVIETTE EN PORTEFEUILLE

Afin de garder au chaud des toasts, ou des petits aliments frits (camembert frit, scampi, moules frites, gougonnettes de lotte...).

1. Plier soigneusement la serviette en trois. Rabattre la moitié droite vers le bas en partant du milieu.

4. Rabattre la moitié gauche vers le bas en partant du milieu.

7. Retourner (les deux plis de dessous peuvent être légèrement rabattus).

2. Relever cette partie vers le haut.

5. Relever cette partie vers le haut.

3. Rabattre la bande « libre » vers la droite.

6. Rabattre la bande « libre » vers la gauche.

CONSEIL

- Pour les pliages, les serviettes utilisées doivent être de préférence carrées, blanches, sans broderies ou autres dessins apparents.

- Les pliages doivent être exécutés avec soin. Les plis doivent être faits de façon définitive sans erreur afin d'éviter de froisser la serviette ce qui nuirait au résultat final.

SERVIETTE « EN GONDOLE »

Les gondoles sont réservées pour garnir une ou les extrémités des plats longs. Elles agrémentent ainsi la présentation des mets « de forme longue » (pain surprise long, terrine, pâté et dartois, poisson, mille-feuille et jalousie, biscuit ou génoise roulé...).

1. *Déplier la serviette, poser dessus une feuille de papier aluminium d'une dimension légèrement plus petite que la serviette.*

3. *Rabattre de nouveau les deux côtés.*

5. *Pratiquer des petits plis réguliers, retenir en forme chaque pli, rouler la serviette en spirale.*

2. *Rabattre les 2 coins du haut vers le centre.*

4. *Plier en deux.*

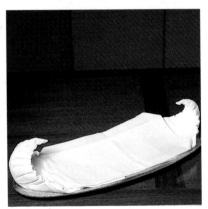

6. *Après avoir déplié et écarté légèrement les parties plissées, déposer les gondoles aux extrémités d'un plat long. Pour terminer déposer une serviette pliée selon la grandeur du plat entre les deux gondoles.*

LA DECORATION FLORALE

Il n'est pas envisageable d'organiser une réception sans penser à la décoration florale ; quelques règles simples sont à respecter dans ce domaine. Les convives ne doivent pas jouer à cache-cache avec un bouquet trop haut ! Une composition florale doit être agréable à regarder de tous les côtés. Il faut éviter les fleurs trop odorantes ainsi que celles qui perdent trop rapidement leurs pétales, rien de plus désagréable à la fin d'une réception qu'un joli dessert parsemé de pétales de pivoine ! Et des fleurs tristes parce que mutilées. La décoration florale du buffet doit être sobre, éviter toute surcharge ; le buffet doit être une "oasis de fraîcheur" certes... mais pas un jardin.

Outre les fleurs, l'assortiment de fruits apportera également au buffet une note de fraîcheur. Pour le présenter, utiliser corbeilles, paniers en osier de formes diverses, récipients en cuivre (poissonnière, chaudron, etc.), varier au maximum leur diversité en fonction de la saison, penser aux fruits exotiques. Quelques gros fruits harmonieusement disposés (ananas, pastèque, noix de coco, melon) apporteront une autre dimension à votre composition.

Composition de fleurs séchées

1 petit vase (ou autre support de forme ronde)
2 bottes de statices de différentes teintes
Quelques branches de gypsophile
1 bloc de mousse synthétique
1 sécateur.

Faire sécher les 2 bottes de statices et le gypsophile la tête en bas pendant 3 semaines.

Découper dans le bloc de mousse synthétique, à l'aide d'un petit couteau, un cylindre s'adaptant bien au vase choisi.

Piquer un statice au centre pour donner la hauteur de la composition. Continuer à piquer les autres statices en dégradé vers le bas pour former un cône. Alterner leurs teintes, finir de garnir le vase avec le gypsophile.

Vérifier et ajuster le cône.

Composition de fleurs fraîches

1 support rond ou rectangulaire
1 bloc de mousse synthétique
1 botte de lys jaunes
5 iris
20 roses « caroles »
1 botte de fougère ou thuya
1 sécateur
1 rouleau de ruban adhésif vert.

Découper le bloc de mousse synthétique de la forme et de la grandeur désirées.

Faire tremper une dizaine de minutes ce bloc de mousse dans de l'eau froide. Le fixer au support avec le ruban adhésif vert.

Piquer d'abord les lys jaunes, ensuite les roses « caroles ».

Terminer la composition florale en piquant les iris et la fougère (ou thuya).

CONSEIL

- *La mousse synthétique doit toujours rester humide.*
- *Beaucoup d'autres fleurs peuvent être utilisées : dahlias de différentes teintes, marguerites, soucis, roses, fleurs de jardin, etc.*
- *Selon leur nature et leur rigidité les fleurs peuvent êtres tigées, utiliser alors des fils de fer verts réservés à cet effet.*

Composition de Noël

1 petite assiette (ou autre support)
1 bloc de mousse synthétique
1 rouleau de ruban adhésif vert
Plusieurs branches de sapin
*1 grande bougie (rouge de préfé-
rence)*
1 bombe « givrage artificiel »
1 sécateur
*Quelques boules de Noël ou
d'autres sujets décoratifs du
même type*
1 nœud rouge.

Découper le bloc de mousse synthétique de la forme et de la
grandeur désirée.

Faire tremper une dizaine de
minutes ce bloc de mousse dans de
l'eau froide. Le fixer au support
(assiette par exemple) avec le ruban adhésif vert.

Bien dégager la base des branchages sur plusieurs centimètres.
Vaporiser avec la bombe « givrage
artificiel ». Cette opération devra
s'effectuer à l'extérieur de préférence, loin de toute source de
chaleur.

Piquer les branchages autour du
bloc de mousse en partant de la
base et former un bel arrondi.

Enfoncer la bougie au centre du
bloc de mousse.

Décorer avec le nœud rouge et
quelques boules de Noël (ou d'autres sujets décoratifs du même
type).

CONSEIL

*- D'autres éléments peuvent être
ajoutés à cette composition : une
deuxième bougie, quelques roses,
des branches de houx avec baies
rouges, des pommes de pin.*

*- La bougie peut être vaporisée
avec une bombe dorée.*

*- La mousse synthétique doit
toujours rester humide.*

*- Il est souhaitable d'utiliser des
branches de sapin d'aspects différents.*

Pyramide de fruits

10 à 15 citrons verts
10 à 15 citrons
10 à 15 oranges
10 à 15 pommes rouges
10 à 15 pommes vertes
10 à 15 pommes jaunes
1 ananas.

Accessoires :
1 rectangle de grillage rigide
(0,60 m × 1 m)
1 rouleau de fil de fer souple
Branches de thuya ou de laurier
2 brochettes en fer.

Avec le grillage, former une pyramide de 0,60 m de haut (diamètre de la base 0,30 m, en haut 0,15 m environ). Maintenir le grillage avec des petits morceaux de fil de fer. Eventuellement fixer le tout sur une planche ronde (0,30 m de diamètre).

Transpercer citrons, oranges et pommes avec un morceau de fil de fer (de 10 à 15 cm de long). Attacher les fruits au grillage. Intercaler les couleurs.

Bien dégager la base des branches de thuya ou de laurier. Les piquer dans la pyramide. Le grillage ne doit plus apparaître.

Fixer l'ananas en haut de la pyramide à l'aide de brochettes en fer.

COMPOSER LE MENU

Le "Menu" cocktail ou lunch est une association de mets des plus simples aux plus complexes. Plus de 230 recettes figurent dans ce livre. De très nombreuses possibilités sont donc offertes pour réussir les réceptions.

Leur choix s'effectuera en fonction du thème choisi, de l'importance donnée à la manifestation, du budget disponible, des possibilités d'approvisionnement, du temps disponible, du goût des convives, du nombre d'invités et de la saison.

A titre d'exemple, nous donnons 10 idées de composition avec association de boisson. Toutes les recettes sont expliquées dans cet ouvrage.

1

Apéritif entre amis

3 canapés : radis, rillettes, saucisson sec
Croûtons anchoïade
Pruneaux au bacon
Brochettes mortadelle gruyère

*Apéritifs courants : anisés, vermouth,
vins doux naturels...*

Petit cocktail

5 canapés : niçoise, anchois,
aux deux jambons, chorizo, gruyère
Sandwichs feuilletés aux rillettes de lapin
Petites quiches lorraines
Mini-croque-monsieur
Canapés chauds au pain de noix et
Saint-Marcellin
Petits clafoutis
Tartelettes à l'orange

*Crémants (vins mousseux, de préférence
régionaux) : de Bourgogne, d'Alsace,
du Jura, Clairette de Die, de Bellegarde,
Blanquette de Limoux...
Jus de fruits.*

2

Buffet provençal

Cocktail melon pastèque
Pan bagnat miniature
Sandwichs feuilletés à la provençale
Crudités sauce anchoïade
Assortiment de petites pizzas
Sardines farcies à la niçoise
Escabèche de maquereaux
Tarte aux figues
Tartelettes au citron et à l'orange

Apéritif anisé
Rosé de Provence
Citronnade.

3

Cocktail au fromage

4

Cubes de gruyère à la dauphinoise
Navette à la mousse de roquefort
Petites gougères à la bourguignonne
Camembert frit
Mini-toasts vaudois
Noix au fromage

*Vins blancs secs de préférence
régionaux : Riesling, Apremont,
Muscadet, Bourgogne aligoté,
Entre-deux-Mers, Sancerre...
Jus de fruits.*

5

Buffet campagnard

Salade vigneronne
Salade de chou cru aux foies de volaille
Petites caillettes dauphinoises
Rillettes de lapereau
Dartois Saint-Antoine
Jambon persillé
Cerises et cornichons au vinaigre
Variantes
Têtes de champignons à l'huile d'olive
Roue de Brie
Gâteau au noix
Charlotte aux poires

*Kir
Vin rouge en tonnelet (régional
de préférence) : Beaujolais,
Côtes-du-Rhône, Gamay de Savoie
ou de Touraine...*

Buffet des quatre coins du monde

Salade Maharadjah
Salade américaine
Banderilles espagnoles
"Quichettes" à l'écossaise
Beurrecks à la turque
Harengs marinés à la suédoise
"aigre-doux"
Blinis sauce Sevruga
Rougets à l'orientale
Brioche parisienne tiède antillaise
Petits chaussons finlandais à la
marmelade de prune, sauce maltaise

Sangria ou porto ou xérès
Whisky ou vodka
Asti mousseux
Cocktail antillais.

6

Buffet océane

3 canapés : œufs de lump, anguille fu-
mée, estragon, crevettes
Sandwichs feuilletés aux rillettes de
saumon
Oeufs brouillés aux oursins
Attelets de coquilles Saint-Jacques
Mini-brochette de lotte au curry
Scampis frits - Beignets de moules
Huîtres chaudes à l'oseille
Salade bretonne
Charlotte aux framboises

Muscadet ou Gros-Plant
Jus de fruits.

7

Cocktail surprise

Oeufs brouillés dans leur coque aux
œufs de poisson
Petits millefeuilles chauds au roquefort
Flan aux moules "cressonnette"
Escargots à la forestière
Ailerons de poulet au curry
Noix de coco et banane
Beignets de pruneaux briochés,
coulis de cassis

Bronx cocktail
Champagne (nature, cassis
ou framboise)
Punch au thé.

Cocktail de gala

5 canapés : pointes d'asperges,
cœurs de palmier, crabe, œufs de
saumon, jambon cru au melon
Pamplemousses piqués de "bagatelles"
Hérisson de poissons fumés
Oeufs de caille au foie gras
Coquilles Saint-Jacques en feuilletés
à la julienne de légumes
Briochine de ris de veau
Pain surprise roquefort et noix
Assortiment de petites bavaroises et
de mini-tartelettes aux fruits
Chocolats, petits fours et fruits déguisés

Champagne
Whisky
Jus de fruits.

Buffet "mini-calories"

Gaspacho andalou
4 canapés : cresson, champignons crus,
haricots verts et fromage
Courgettes à l'antiboise
Crudités aux amandes et au citron
Petits sandwichs laitue et gruyère
Fruits de nos vergers en pastèque

Concombre et tomate cocktail
"Pamplemousse cerise"
Cidre.

10

Petites Pièces "Cocktails"

Lors d'un cocktail, il est de rigueur d'accompagner les boissons, de préparations ne nécessitant ni couvert, ni assiette personnelle.

Ceci implique la présentation sur le buffet de « petites pièces cocktail » salées ou sucrées ne pouvant se déguster qu'en une voire deux bouchées.

LES CANAPES

Les canapés sont des tranches de pain de mie ou parfois de seigle masquées de beurre frais ou composé, de mayonnaise ou de tout autre élément. De formes diverses ils sont ensuite garnis à volonté et décorés mais toujours de petite taille ; en effet ils doivent pouvoir se déguster en une ou deux bouchées au maximum.

CHOIX DU PAIN

Contrairement à certaines idées reçues, quel que soit le pain employé, on doit le laisser généralement « rassir » afin de faciliter le découpage et le « tartinage ». Il faut donc prévoir son achat deux ou trois jours avant l'emploi et le conserver au réfrigérateur enveloppé dans un linge humide.

DECOUPAGE DES PAINS

Utilisez de préférence un couteau scie. Pour les pains de mie rectangulaires la croûte sera toujours retirée au moment de l'utilisation, pour les pains de mie cylindriques elle pourra être conservée à condition qu'elle soit souple et mince.

Les pains de mie rectangulaires seront de préférence découpés dans le sens de la longueur. Certains canapés peuvent être préparés « en bandes », beurrés et garnis d'abord, tranchés ensuite (selon la forme voulue) et décorés enfin.

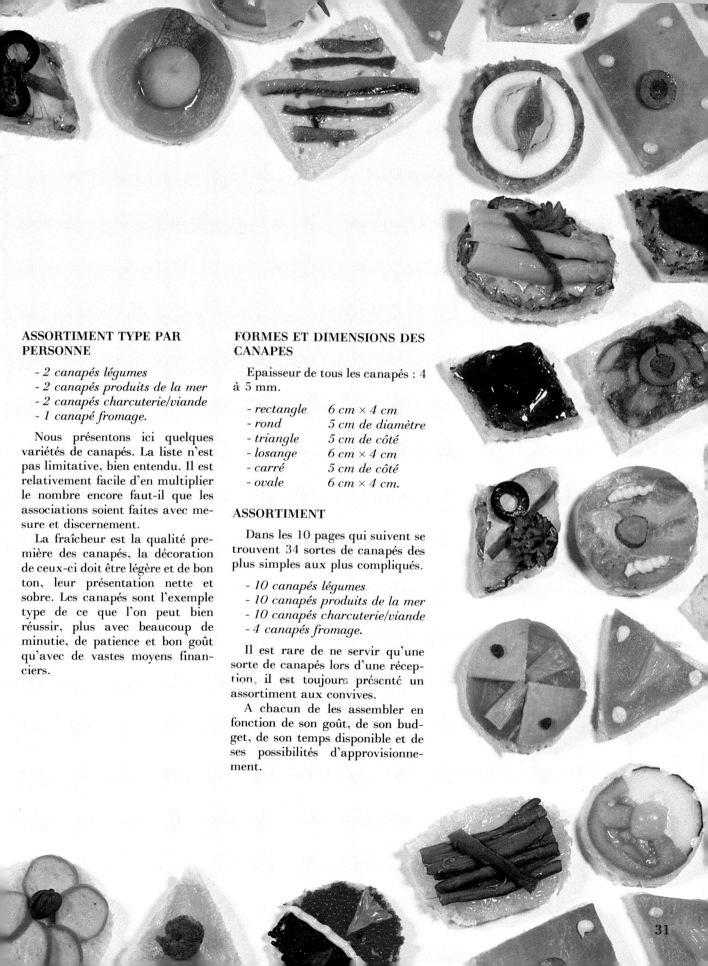

ASSORTIMENT TYPE PAR PERSONNE

- *2 canapés légumes*
- *2 canapés produits de la mer*
- *2 canapés charcuterie/viande*
- *1 canapé fromage.*

Nous présentons ici quelques variétés de canapés. La liste n'est pas limitative, bien entendu. Il est relativement facile d'en multiplier le nombre encore faut-il que les associations soient faites avec mesure et discernement.

La fraîcheur est la qualité première des canapés, la décoration de ceux-ci doit être légère et de bon ton, leur présentation nette et sobre. Les canapés sont l'exemple type de ce que l'on peut bien réussir, plus avec beaucoup de minutie, de patience et bon goût qu'avec de vastes moyens financiers.

FORMES ET DIMENSIONS DES CANAPES

Epaisseur de tous les canapés : 4 à 5 mm.

- *rectangle* *6 cm × 4 cm*
- *rond*   *5 cm de diamètre*
- *triangle*   *5 cm de côté*
- *losange*   *6 cm × 4 cm*
- *carré*   *5 cm de côté*
- *ovale*   *6 cm × 4 cm.*

ASSORTIMENT

Dans les 10 pages qui suivent se trouvent 34 sortes de canapés des plus simples aux plus compliqués.

- *10 canapés légumes*
- *10 canapés produits de la mer*
- *10 canapés charcuterie/viande*
- *4 canapés fromage.*

Il est rare de ne servir qu'une sorte de canapés lors d'une réception, il est toujours présenté un assortiment aux convives.

A chacun de les assembler en fonction de son goût, de son budget, de son temps disponible et de ses possibilités d'approvisionnement.

31

Pointes d'asperges

20 pièces ✗ ∞
Prép. : 20 mn.

80 pointes d'asperges
Quelques feuilles de laitue vertes
1 dl. de sauce mayonnaise
20 « fines lanières » de poivron
rouge (en boîte au naturel).

Ciseler la laitue en fine chiffonnade, mélanger à la sauce mayonnaise, tartiner.

Disposer 3 pointes d'asperges
sur chaque canapé.

Décorer avec une « fine lanière »
de poivron rouge simulant le lien
du bottillon.

Radis

20 pièces ✗ ○
Prép. : 20 mn.

60 g. de beurre
1 botte de radis roses longs (20
pièces)
5 olives noires dénoyautées
1 branche de persil
Sel.

Tartiner de beurre, saler légèrement.

Couper chaque radis en fines
lamelles, disposer en rosace sur le
tour de chaque canapé.

Décorer avec une rondelle
d'olive noire passée à l'huile au
centre et « une touche de persil ».

Niçoise

20 pièces ✗ ○
Prép. : 20 mn.

5 petites tomates (soit 500 g.)
3 œufs durs
5 olives noires dénoyautées
1 dl. de sauce mayonnaise
1 branche de persil
Sel, poivre.

Tartiner les canapés de sauce
mayonnaise, disposer une rondelle
de tomate, saler et poivrer.

Garnir d'une rondelle d'œuf dur
(utiliser le coupe-œuf).

Décorer avec une rondelle
d'olive noire passée à l'huile et une
« touche de persil ».

Haricots verts

20 pièces ✗ ∞
Prép. : 20 mn.

100 g. de haricots verts
1 dl. de sauce mayonnaise
1 demi-citron
20 « fines lanières » de poivron
rouge (en boîte au naturel).

Effiler, laver et cuire les haricots
verts à l'eau bouillante, sans couvrir, juste à point.

Mélanger le jus d'un demi-citron
à la sauce mayonnaise, tartiner les
canapés.

Disposer un petit bottillon de
haricots verts sur chaque canapé.

Décorer avec une « fine lanière »
de poivron rouge simulant le lien
du bottillon.

Cresson

20 pièces ✗ ○
Prép. : 20 mn.

60 g. de beurre
5 olives noires dénoyautées
150 feuilles de cresson environ
Sel, poivre.

Faire blanchir quelques secondes les feuilles de cresson à l'eau
bouillante afin de les rendre bien
vertes. En réserver 80 pièces.

Réduire le reste en purée, incorporer au beurre, saler, poivrer,
tartiner les canapés.

Décorer chacun d'eux avec 4
feuilles de cresson blanchies et une
rondelle d'olive noire passée à
l'huile.

Cèpes et jambon

20 pièces ✗ ∞
Prép. : 20 mn.

60 g. de beurre
100 g. de cèpes en conserve
4 tranches fines de jambon cru
(120 g. environ)
1 cuillerée à café d'échalote
ciselée
1 cuillerée à café de persil haché.

Mélanger l'échalote ciselée et le
persil haché au beurre en pommade, tartiner les canapés.

Recouvrir d'une tranche de jambon cru.

Disposer des fines lamelles de
cèpes.

Décor facultatif : beurre pimenté
teinté carmin, au cornet.

Champignons crus

20 pièces ✗ ○
Prép. : 20 mn.

10 beaux champignons de Paris
bien blancs
1 citron
Quelques feuilles de laitue bien
vertes
1 dl. de sauce mayonnaise
1 cuillerée à café de curry
20 raisins secs
1 cuillerée à potage d'amandes
effilées.

Ciseler la laitue en fine chiffonnade, mélanger à la mayonnaise
avec un peu de curry, tartiner les
canapés.

Equeuter, laver les champignons, les émincer finement, les
citronner.

Disposer un demi-champignon
émincé sur chaque canapé, décorer
avec un raisin sec et deux amandes
effilées passées dans le curry.

Avocat

20 pièces   ✗ ∞
Prép. : 20 mn.

1 avocat
1 citron
20 crevettes décortiquées
Paprika.

Eplucher et réduire en purée l'avocat, avec le jus de citron.

Garnir les canapés en formant un dôme.

Décorer avec une crevette roulée dans le paprika.

Concombre tomate

20 pièces   ✗ ○
Prép. : 20 mn.

60 g. de beurre
3 petites tomates (soit 300 g. environ)
10 rondelles de concombre (non épluché, cannelé)
5 petits oignons au vinaigre
Sel.

Tartiner de beurre, saler légèrement.

Disposer une demi-rondelle de concombre cannelé et de tomate côte à côte.

Décorer avec une fine tranche d'oignon au vinaigre.

Cœurs de palmier

20 pièces   ✗ ∞
Prép. : 20 mn.

5 cœurs de palmier de taille moyenne (en boîte au naturel)
Quelques feuilles de laitue bien vertes
1 dl. de sauce mayonnaise
1 cuillerée à soupe de paprika.

Ciseler la laitue en fine chiffonnade, mélanger à la sauce mayonnaise, ajouter le paprika. En tartiner les canapés.

Disposer sur chaque canapé 3 rondelles de cœur de palmier.

Choisir une tomate ferme et bien rouge. Retirer la peau délicatement avec un couteau d'office et faire une « bande » de 1,5 cm de large la plus longue possible et très mince.

Choisir une petite tomate ferme et bien rouge. L'émincer le plus finement possible en veillant à ce que les tranches se détachent bien les unes des autres.

Rouler cette bande de peau de tomate afin de former une rose (technique utilisée par les cuisiniers français).

Etaler les fines tranches de tomate en gardant la tomate debout. Ce travail est très minutieux. Les tranches doivent encore se toucher en chevauchant de moitié les unes sur les autres. Rouler le tout pour former une rose (technique utilisée par les cuisiniers chinois).

Foie de morue

20 pièces   ✗ ∞
Prép. : 20 mn.

250 g. de foie de morue (en conserve) en tranches fines
20 câpres.

Tailler dans le foie de morue 20 petites tranches fines.
Réduire en purée les parures, tartiner chaque canapé. Garnir d'une tranche de foie de morue.
Décorer avec une câpre.

Thon à l'huile

20 pièces   ✗ ∞
Prép. : 20 mn.

200 g. de thon émietté à l'huile
30 g. d'échalote
1 dl. de sauce mayonnaise
1 cuillerée à soupe de fines herbes
20 moules décortiquées
Safran.

Mélanger thon émietté, échalote finement ciselée, fines herbes hachées et sauce mayonnaise.
Disposer sur chaque canapé en dôme.
Décorer avec une moule roulée dans le safran.

Anchois

20 pièces   ✗ ○
Prép. : 20 mn.

60 g. de beurre
20 filets d'anchois à l'huile
20 fines « lanières » de poivron rouge (en boîte au naturel).

Réduire en purée 10 filets d'anchois, incorporer le beurre, tartiner.
Couper les 10 autres filets d'anchois dans le sens de la longueur.
Décorer chaque canapé avec 3 « bandes » de filet d'anchois. Intercaler 2 fines lanières de poivron rouge.

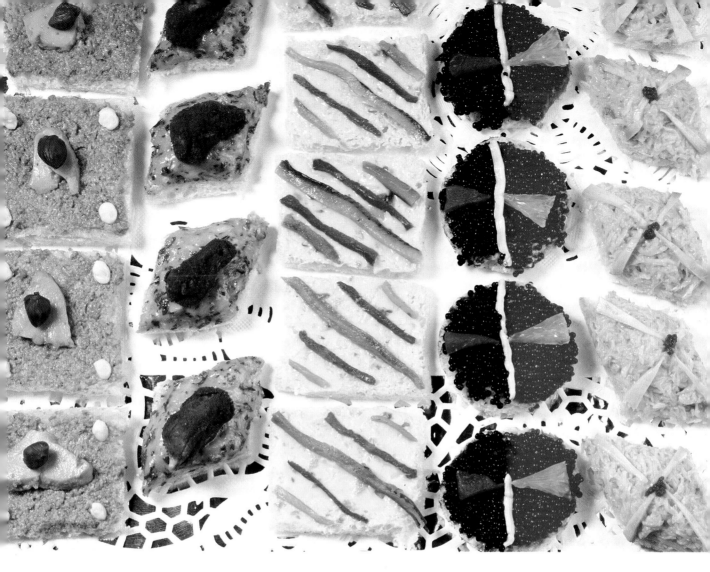

Oeufs de lump

20 pièces   ✗ ⚭

Prép. : 20 mn.

60 g. de beurre
60 g. d'œufs de lump noirs
60 g. d'œufs de lump rouges
1 citron
1 demi-poivron rouge pelé.

Tartiner le pain de beurre.

Disposer les œufs de lump, rouges sur un demi-cercle, noirs sur l'autre.

Marquer la séparation entre les deux couleurs avec un filet de beurre au cornet.

Décorer les œufs noirs avec un petit triangle de poivron rouge, les œufs rouges avec un petit triangle de citron pelé à vif.

Crabe

20 pièces   ✗ ⚭⚭

Prép. : 20 mn.

200 g. de crabe (congelé ou en boîte)
1 dl. de sauce mayonnaise
1 cuillerée à potage de ketchup
1 demi-avocat
1 citron.

Emietter le crabe, le mélanger avec la mayonnaise et le ketchup.

Disposer en dôme sur chaque canapé.

Décorer au centre avec une pointe de ketchup entourée de 3 petits triangles d'avocat citronnés.

CONSEIL

- Les œufs de lump sont pondus en grande quantité au mois de mars, ceux-ci sont naturellement jaunâtres. Colorés artificiellement en noir ou en rouge, ils sont vendus avec la mention « succédané de caviar ». Mais ils sont très loin d'avoir la saveur des œufs d'esturgeon. Le lump est un poisson très abondant en mer du nord et en mer baltique. Il est osseux et sa chair reste médiocre, appelée également « Lièvre des mers ».

- Le foie de morue, riche en vitamines A et D, fut souvent utilisé comme remède sous forme d'huile, il est aujourd'hui mis en conserve, fumé et sert à préparer des canapés et des hors-d'œuvres froids.

35

Découper un triangle rectangle dans du papier sulfurisé et commencer à « rouler le cornet ».

Le remplir de moitié de beurre en pommade (brut, coloré ou aromatisé). Fermer hermétiquement. Couper la pointe plus ou moins selon le décor choisi (fin ou plus épais).

Finir la confection du cornet en papier. L'extrémité doit être très pointue. Rabattre vers l'intérieur pour maintenir solidement le cornet en forme.

Décorer les canapés en pressant légèrement sur le cornet. Les canapés ainsi décorés doivent être remis aussitôt au froid afin que le beurre se solidifie.

Saumon fumé

20 pièces
Prép. : 20 mn.

60 g. de beurre
200 g. de saumon fumé (taillé très fin)
1 citron.

Tartiner le pain de beurre.
Disposer le saumon fumé.
Décorer avec un petit triangle de citron pelé à vif, et quelques « touches » de beurre au cornet.

Crevettes

20 pièces
Prép. : 20 mn.

60 g. de beurre
10 filets d'anchois
80 crevettes décortiquées.

Réduire en purée les anchois, incorporer le beurre, tartiner le pain.
Disposer sur chaque canapé 4 crevettes.

Anguille fumée estragon

20 pièces
Prép. : 20 mn.

60 g. de beurre
200 g. d'anguille fumée (tranches très fines)
1 citron
1 petit bouquet d'estragon
Poivre.

Faire blanchir quelques secondes les feuilles d'estragon à l'eau bouillante afin de les rendre bien vertes. En réserver 40 pièces.
Réduire le reste en purée, incorporer au beurre, poivrer, tartiner les canapés.
Recouvrir de lamelles d'anguille fumée.
Décorer chaque canapé avec un petit triangle de citron pelé à vif, deux feuilles d'estragon blanchies et quelques touches de beurre au cornet.

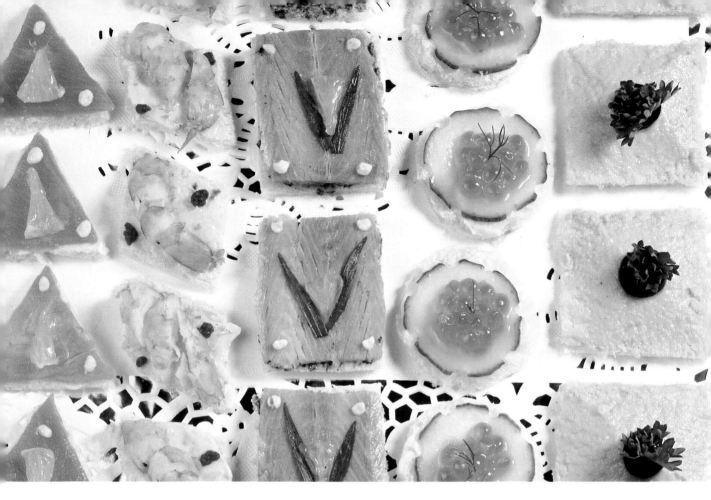

Oeufs de saumon

20 pièces   ✗ ⭕⭕⭕
Prép. : 20 mn.

60 g. de beurre
20 rondelles de concombre (non épluché, cannelé)
150 g. d'œufs de saumon
Branches d'aneth ou de persil.

Tartiner le pain de beurre.

Disposer la rondelle de concombre, puis les œufs de saumon en dôme.

Décorer avec une « touche » d'aneth ou de persil.

Oeufs de cabillaud fumés

20 pièces   ✗ ⭕⭕
Prép. : 20 mn.

250 g. d'œufs de cabillaud
1 dl. de crème fraîche
1 demi-citron
5 olives noires dénoyautées
Branches de persil.

Réduire en purée les œufs de cabillaud, ajouter la crème fraîche et le jus d'un demi-citron, bien mélanger.

Disposer en dôme sur chaque canapé.

Décorer avec une rondelle d'olive noire passée dans l'huile et une « touche » de persil.

Jambon de Paris

20 pièces ✗ ○
Prép. : 20 mn.

60 g. de beurre
4 tranches de jambon de Paris
(200 g. environ)
4 olives vertes farcies au poivron
rouge.

   Tartiner de beurre.
   Disposer le jambon de Paris.
   Décorer chaque canapé avec une rondelle d'olive et quelques « touches » de beurre au cornet.

Aux deux jambons

20 pièces ✗ ○○
Prép. : 20 mn.

60 g. de beurre
2 tranches de jambon de Paris
(100 g. environ)
2 tranches de jambon cru (80 g.
environ)
1 tranche d'ananas.

   Tartiner de beurre.
   Tailler 10 ronds de chaque sorte de jambon à l'emporte-pièce (diamètre des canapés).
   Couper chaque rond en 4 quarts.
   Disposer sur chaque canapé deux quarts de jambon cru « pointes contre pointes », faire de même avec deux quarts de jambon de Paris.
   Décorer avec un petit morceau d'ananas peu épais. Terminer éventuellement avec quelques « touches » de beurre pimenté teinté carmin, au cornet.

Andouille

20 pièces ✗ ○
Prép. : 20 mn.

60 g. de beurre
20 rondelles d'andouille taillées
très fines (soit 200 g. environ)
1 cornichon.

   Tartiner le pain de beurre.
   Disposer une rondelle d'andouille.
   Décorer avec une fine lamelle de cornichon.

Décor facultatif : beurre au cornet.

Chorizo

20 pièces ✗ ○
Prép. : 20 mn.

60 g. de beurre
200 g. de chorizo
5 olives vertes farcies de poivron.

   Tartiner le pain de beurre.
   Disposer sur chaque canapé 3 fines tranches de chorizo. Décorer d'une rondelle d'olive.

Saucisse de Strasbourg

20 pièces
Prép. : 20 mn.

60 g. de beurre
5 saucisses de Strasbourg
1 cuillerée à café de moutarde
20 câpres.

Mélanger beurre en pommade et moutarde, tartiner le pain de mie.

Couper les saucisses de Strasbourg en fines rondelles, disposer 5 rondelles en rosace sur chaque canapé, une câpre au centre.

Saucisson sec

20 pièces
Prép. : 20 mn.

20 rondelles de saucisson sec taillées très fines (200 g. environ)
60 g. de beurre
2 cornichons.

Tartiner de beurre.

Disposer les rondelles de saucisson.

Décorer chaque canapé avec une rondelle de cornichon et quelques « touches » de beurre au cornet.

Rillettes

20 pièces
Prép. : 20 mn.

200 g. de rillettes
10 cerises au vinaigre.

Travailler les rillettes avec une fourchette, les disposer en dôme sur chaque canapé.

Décorer avec une demi-cerise au vinaigre.

Jambon cru melon

20 pièces
Prép. : 20 mn.

60 g. de beurre
4 tranches fines de jambon cru (120 g. environ)
20 perles de melon
5 cl. de porto
20 « piques en bois ».

Faire macérer les perles de melon dans le porto.

Donner au jambon cru une forme ronde de la grandeur du canapé.

Disposer sur le canapé beurré, mettre la perle de melon macérée au porto. Fixer le tout avec un « pique en bois ».

CONSEIL

- Pour ces derniers canapés, il est possible d'utiliser aussi bien des rillettes de porc que des rillettes d'oie, mais aussi des rillettes de lapin « maison » (page 124).

- Il est possible de donner à ces canapés une note plus rustique. Pour cela il faut les réaliser avec pain de campagne ou pain de seigle coupé toujours assez mince.

- Toutes les sortes de saucissons et de jambons peuvent être utilisées pour la confection de cette catégorie de canapés : jésus, saucisson corse ou d'Arles, coppa, mortadelle, rosette, jambon de Prague, de Bayonne, de Parme, de Paris, de Westphalie, etc.

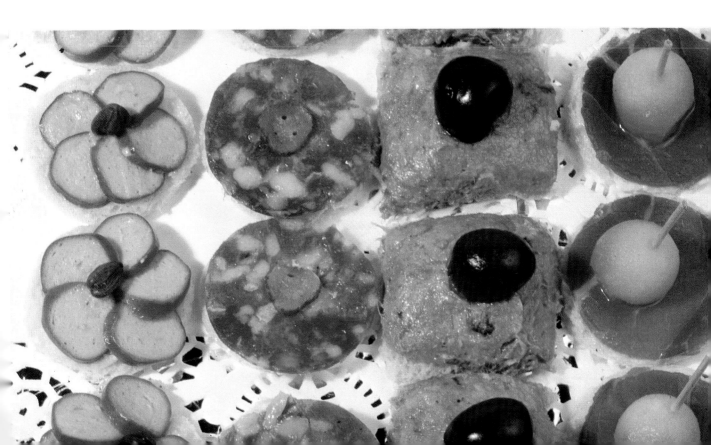

Blanc de poulet

20 pièces   ✗ ∞
Prép. : 20 mn.

200 g. de blanc de poulet cuit
Quelques feuilles de laitue bien
vertes
1 dl. de sauce mayonnaise
20 « fines lanières » de poivron
rouge (en boîte au naturel)
10 olives noires dénoyautées
Branches de persil.

Ciseler la laitue en fine chiffonnade, mélanger à la mayonnaise, en garnir les canapés.

Couper le blanc de poulet (ou d'autres volailles) en lamelles assez minces, disposer sur chaque canapé.

Décorer avec une « fine lanière » de poivron rouge, deux rondelles d'olive noire passées à l'huile et une « touche de persil ».

Salami œuf dur

20 pièces   ✗ ○
Prép. : 20 mn.

60 g. de beurre
20 rondelles de salami taillées
très fines (200 g. environ)
2 œufs durs
1 demi-poivron vert pelé.

Beurrer les canapés.

Donner aux tranches de salami une forme ronde de la grandeur du canapé.

Disposer sur le canapé beurré, mettre une rondelle d'œuf dur (utiliser le coupe-œuf).

Décorer avec un losange de poivron vert.

Le coupe-œuf est un petit appareil très pratique pour obtenir des rondelles d'œuf dur, minces, entières et présentables.

Les canapés garderont toute leur fraîcheur au réfrigérateur sous un film plastique.

Gruyère

20 pièces   ✗ ○
Prép. : 20 mn.

60 g. de beurre
100 g. de gruyère tranché très
mince
1 cuillerée à café de moutarde
1 cuillerée à soupe de paprika.

Mélanger beurre en pommade et moutarde, tartiner le pain.

Disposer les tranches de gruyère.

Saupoudrer légèrement de paprika.

Comté laitue tomate

20 pièces   ✗ ○
Prép. : 20 mn.

100 g. de comté tranché bien
mince
Quelques feuilles de laitue bien
vertes
60 g. de beurre
2 petites tomates (soit 200 g.
environ)
40 feuilles d'estragon blanchies
Sel.

Tartiner le pain avec le beurre.

Disposer dessus les feuilles de laitue ciselée en fine chiffonnade, saler légèrement.

Poser un rond de comté.

Terminer avec une demi-tranche de tomate taillée très fine.

Décorer chaque canapé avec 2 feuilles d'estragon blanchies et quelques « touches » de beurre au cornet.

Roquefort

20 pièces   ✕ ∞
Prép. : 20 mn.

100 g. de beurre
100 g. de roquefort (ou fromage
de même type)
20 cerneaux de noix.

   Réduire en purée le roquefort, incorporer au beurre.
   Garnir chaque canapé en réalisant un léger cône.
   Décorer avec un cerneau de noix.

Fromage blanc

20 pièces   ✕ ○
Prép. : 20 mn.

2 fromages blancs bien égouttés
2 cuillerées à potage de fines
herbes
30 g. d'échalote
20 crevettes grises
Sel, poivre et paprika.

   Bien écraser le fromage blanc, adjoindre les fines herbes, l'échalote ciselée, saler et poivrer.
   Disposer en dôme sur chaque canapé.
   Décorer avec une crevette grise roulée dans le paprika.

CONSEIL

   Quatre fromages seulement sont utilisés dans cette rubrique canapés alors qu'il en existe des centaines de variétés. Pour le choix, le critère régional reste primordial, mais entrent en jeu également le goût de chacun, le budget et les possibilités d'approvisionnement.

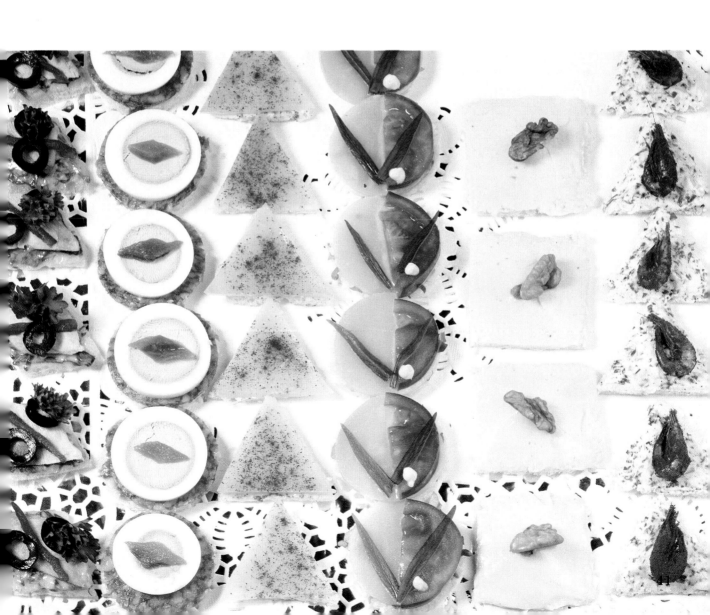

41

Préparations froides faites de deux tranches de pain enfermant une garniture simple ou composée.

« L'origine du mot vient de John Montagu 4ᵉ Comte de Sandwich, joueur invétéré qui avait pris l'habitude de se faire servir de la viande froide entre deux tranches de pain pour se restaurer sans avoir à quitter la table de jeux » (début du XIXᵉ siècle).

Variés et frais les petits sandwichs seront toujours appréciés, malheureusement ils sont souvent oubliés lors d'une réception et pourtant ils se réalisent facilement.

Il est vrai que le sandwich proprement dit reste une tradition anglo-saxonne, celle du lunch rapide de midi.

Il ne s'agit ici naturellement que de petits sandwichs dits « de lunch » et non des confortables sandwichs qui visent à remplacer un repas.

De formes et de tailles différentes, ils se préparent le plus souvent en pain de mie mais aussi en pain complet, en pain de seigle, en petits pains briochés (navettes ou fuseaux) et plus rarement en feuilletage.

La liste des petits sandwichs « lunch » n'est pas limitative, nous en présentons ici quelques variétés.

Les sandwichs pain de mie « lunch »

20 tranches de pain de mie carrées (7 cm de côté - 500 g. environ).

Garnir 10 tranches de pain de mie non grillé avec la ou les préparations choisies.

Recouvrir et couper en deux (sandwichs triangulaires ou rectangulaires).

Décorer éventuellement le dessus. Réserver au frais.

Oeufs tomates

20 pièces
Prép. : 20 mn.

5 œufs durs
3 petites tomates (300 g. environ)
5 cl. de mayonnaise
Quelques feuilles de laitue
1 cuillerée de cerfeuil haché
4 olives noires dénoyautées
20 « piques en bois ».

Tartiner de mayonnaise les 20 carrés de pain de mie.

Disposer sur 10 carrés la laitue taillée en fine chiffonnade, puis les rondelles d'œufs durs (utiliser le coupe-œufs). Recouvrir avec les 10 autres carrés.

Placer sur le dessus des fines rondelles de tomate. Parsemer de cerfeuil. Tailler en 20 triangles. Maintenir chaque sandwich avec un « pique en bois », décorer avec des rondelles d'olive noire.

Anguille fumée

20 pièces
Prép. : 20 mn.

80 g. de beurre
1 demi-citron
150 g. d'anguille fumée.

Tartiner de beurre en pommade les 20 carrés de pain de mie. Arroser d'un filet de jus de citron.

Disposer sur 10 carrés l'anguille fumée tranchée très mince. Recouvrir avec 10 autres carrés. Tailler en 20 rectangles.

Laitue gruyère

20 pièces
Prép. : 20 mn.

80 g. de beurre
100 g. de gruyère tranché très mince
1 demi-citron
Quelques feuilles de laitue
1 cuillerée de ciboulette ciselée
Sel.

Tartiner de beurre en pommade additionné de ciboulette ciselée les 20 carrés de pain de mie. Arroser légèrement d'un filet de jus de citron.

Disposer sur 10 carrés la laitue taillée en fine chiffonnade puis le gruyère, saler légèrement. Recouvrir avec les 10 autres carrés. Tailler en 20 triangles.

Déposer l'anguille fumée sur une planche. Découper des tronçons de huit à dix centimètres de longueur. Dégager la peau à l'aide d'un petit couteau.

A l'aide d'un tranche-lard, couper de fines tranches perpendiculairement à l'arête.

Anchois

20 pièces
Prép. : 20 mn.

100 g. de beurre
50 g. de filets d'anchois à l'huile.

Réduire en purée les anchois, incorporer le beurre.

Garnir 10 carrés. Recouvrir avec les 10 autres carrés. Tailler en 20 rectangles. Décorer le dessus avec des filets d'anchois.

Jambon de Paris ciboulette

20 pièces
Prép. : 20 mn.

80 g. de beurre
1 cuillerée de ciboulette ciselée
5 tranches de jambon de Paris.

Tartiner de beurre en pommade les 20 carrés de pain de mie. Parsemer de ciboulette finement ciselée.

Disposer sur 10 carrés le jambon de Paris. Recouvrir avec 10 autres carrés. Parer si nécessaire. Tailler en 20 triangles.

Fromage blanc

20 pièces
Prép. : 20 mn.

150 g. de fromage blanc frais dit « demi-sel »
2 cuillerées de fines herbes hachées (cerfeuil, persil, ciboulette et persil)
1 cuillerée de paprika.

Travailler le fromage blanc avec une fourchette en ajoutant les fines herbes et le paprika, ce qui donnera une légère teinte rose « persillée ».

Garnir 10 carrés. Recouvrir avec les 10 autres carrés. Tailler en 20 rectangles.

200 g. de « base farine » en pâte feuilletée
1 œuf dorure.

Abaisser la pâte à 2 mm. Réaliser 4 bandes (30 cm × 6 cm). Les disposer sur une plaque humidifiée, piquer abondamment avec une fourchette. Dorer une bande sur deux. Cuire au four (250°, thermostat 8-9) pendant 5 minutes environ, terminer la cuisson (200°, thermostat 6-7) pendant 5 à 10 minutes. Laisser refroidir sur grille.

Tartiner la bande non dorée avec la préparation choisie, recouvrir d'une autre « bande dorée ». Appuyer légèrement. Mettre au réfrigérateur 30 minutes (afin que la préparation « intérieure » choisie durcisse).

Couper dans la largeur 20 petits sandwichs (6 cm × 3 cm).

Provençale

20 pièces
Prép. : 45 mn. Cuiss. : 15 mn.

400 g. de tomates
12 g. de gélatine
1 cuillerée à potage de basilic
10 anchois à l'huile
20 olives noires dénoyautées
Sel, poivre de Cayenne.

Monder les tomates, les épépiner, les concasser.

Dessécher à feu doux pour faire évaporer l'eau.

Ajouter la gélatine et le basilic haché, assaisonner de haut goût : sel et poivre de Cayenne.

Passer au mixer, mettre au frais et remuer régulièrement.

Tartiner assez épais avec cette mousse de tomate pas encore tout à fait prise, ajouter morceaux de filet d'anchois et rondelles d'olives noires dénoyautées. Recouvrir.

Rillettes de lapin

20 pièces
Prép. : 30 mn. Cuiss. : 15 mn.

400 g. de rillettes de lapin
(p. 124)
2 cornichons au vinaigre.

Laisser les rillettes à température ambiante, travailler avec une fourchette.

Tartiner assez épais, disposer des rondelles de cornichons. Recouvrir.

Rillettes de saumon

20 pièces
Prép. : 30 mn. Cuiss. : 15 mn.

400 g. de rillettes de saumon
(p. 112)
1 citron.

Laisser les rillettes à température ambiante, travailler avec une fourchette.

Tartiner assez épais. Arroser avec un filet de jus de citron. Recouvrir.

« Navettes » à la mousse de pâté de foie

20 pièces   ✗ ○
Prép. : 20 mn.

20 « mini » pains briochés longs
(7 à 8 cm de longueur)
500 g. de pâté de foie
1 dl. de crème fraîche
5 cl. de cognac.

Passer le pâté de foie au mixer, ajouter progressivement la crème fraîche et le cognac en remuant énergiquement avec une spatule en bois.

Fendre en deux à l'aide d'un couteau scie et ouvrir les « mini » pains longs sans séparer les deux moitiés.

Farcir les « navettes » (ou fuseaux) avec la mousse de pâté de foie à l'aide d'une poche munie d'une petite douille cannelée en laissant dépasser la mousse sur le côté ouvert. Réserver au frais.

« Navettes » à la mousse de roquefort

20 pièces   ✗ ∞
Prép. : 20 mn.

20 « mini » pains briochés longs
(7 à 8 cm de longueur)
200 g. de beurre
200 g. de roquefort
100 g. de crème de gruyère.

Mélanger au mixer beurre, crème de gruyère et roquefort.

Fendre en deux à l'aide d'un couteau scie et ouvrir les « mini » pains longs sans séparer les deux moitiés.

Farcir avec la mousse de roquefort à l'aide d'une poche munie d'une petite douille cannelée en laissant dépasser la mousse sur le côté ouvert. Réserver les « navettes » (ou fuseaux) au frais.

Sandwichs roulés aux fromages

20 pièces ✗✗ ∞
Prép. : 25 mn.

500 g. de mie de pain
50 g. de beurre
50 g. de crème de gruyère
50 g. de roquefort ou fromage
similaire
30 g. de cerneaux de noix hachés
100 g. de gruyère taillé très mince
(à la machine à trancher)
Quelques gouttes de cognac.

Mélanger au mixer beurre, crème de gruyère et roquefort, ajouter cerneaux hachés et cognac.

Couper le pain de mie écroûté, très mince, dans le sens de la longueur.

Tartiner avec le mélange de fromages, ajouter les tranches de gruyère, tartiner de nouveau. Rouler délicatement puis envelopper et serrer dans un papier aluminium, réserver au réfrigérateur.

Couper au dernier moment.

Sandwichs roulés au saumon fumé

20 pièces ✗✗ ∞∞
Prép. : 25 mn.

500 g. de pain de mie
150 g. de beurre
100 g. de saumon fumé taillé très
mince
50 g. de feuilles de cresson
50 g. de feuilles d'épinards
50 g. de feuilles de laitue
Sel, poivre.

Blanchir 5 minutes à l'eau bouillante les herbes. Egoutter et rafraîchir vivement. Essorer à fond. Passer au mixer, ajouter au beurre en pommade, assaisonner.

Couper le pain de mie écroûté très mince dans le sens de la longueur.

Tartiner avec le beurre aux herbes en pommade, ajouter les tranches de saumon fumé, tartiner de nouveau avec le beurre. Rouler délicatement puis envelopper et serrer dans un papier aluminium, réserver au réfrigérateur.

Couper au moment de servir.

Tartiner les tranches de pain de mie taillées très minces et poser le saumon fumé.

Enrouler les tranches de pain de mie sur elles-mêmes. Envelopper de papier aluminium. Garder au frais. Dans le réfrigérateur, presser tous les rouleaux de sandwichs pour que les coins ne se recourbent pas ou maintenir avec de petites ficelles.

Club sandwichs cocktail

10 pièces ✕✕ ⚭
Prép. : 20 mn.

30 tranches de pain de mie
Feuilles de laitue vertes
1 dl. de mayonnaise
4 œufs durs
300 g. de tomates
300 g. de blanc de poulet rôti
froid dépouillé de sa peau.

Découper 30 carrés (5 à 6 cm de côté) dans le pain de mie. Les faire griller légèrement.

Ciseler la laitue en fine chiffonnade, la mélanger à la mayonnaise. Détailler les œufs en fines lamelles. Tailler tomates et blanc de poulet en fines tranches.

Placer sur 20 toasts un peu de chiffonnade, 2 tranches de tomate, quelques lamelles de blanc de poulet et 2 rondelles d'œuf dur, finir avec un peu de chiffonnade.

Superposer ces toasts garnis deux par deux, couvrir avec les dix derniers toasts. Couper en deux en diagonale pour obtenir 20 petits club sandwichs triangulaires. Utiliser alors des « piques en bois » pour fixer le tout.

Pans-bagnats miniatures

10 pièces ✕ ○
Prép. : 20 mn.

10 « mini » pains ronds
3 cl. d'huile d'olive
2 gousses d'ail
200 g. de tomates (3 petites)
2 œufs durs
10 filets d'anchois à l'huile
10 olives noires dénoyautées
100 g. de poivron (1 petit)
Sel, poivre.

Couper le poivron en deux, le passer 5 à 10 minutes au four chaud afin de pouvoir retirer la peau. Détailler en fines « lanières ».

Fendre en deux à l'aide d'un couteau scie et ouvrir les « mini » pains ronds sans séparer les deux moitiés.

Retirer la moitié de la mie. Frotter d'ail la mie restante et l'arroser d'un peu d'huile d'olive.

Garnir avec des rondelles de tomate, d'œuf dur et d'olives noires dénoyautées, ajouter les filets d'anchois coupés en petits morceaux et des lanières de poivron. Arroser le tout d'un filet d'huile d'olive et refermer les pains.

47

Pain de campagne rond « surprise » roquefort et noix

8 pers. ✗✗ ∞
Prép. : 45 mn.

1 pain de campagne
200 g. de roquefort
200 g. de beurre
100 g. de cerneaux de noix.

Laisser rassir le pain 24 heures à 48 heures.

Découper le haut du pain, réserver cette « calotte ».

Couper et dégager le cylindre de mie.

Couper l'extrémité croûte du cylindre et la remettre dans le fond du « pain coffre » que vous réservez.

Former des disques réguliers.

Concasser les cerneaux de noix. Mélanger roquefort et beurre en pommade.

Réaliser les sandwichs. Superposer le tout.

Découper le cylindre reconstitué en 8 triangles.

Reconstituer le pain avec les sandwichs triangulaires. Poser le couvercle, le maintenir entrebâillé en le fixant avec des « piques en bois » ou des « brochettes ». Réserver au frais.

Couper et dégager le cylindre de mie. Couper la mie verticalement tout autour en incisant avec un couteau souple le long de la croûte en enfonçant le couteau jusqu'au fond. Dégager le « cylindre de mie ».

Réaliser les sandwichs, tartiner le disque du fond avec le mélange beurre - roquefort. Saupoudrer de cerneaux de noix concassés, recouvrir d'un deuxième disque de pain de mie, tartiner un nouveau disque et ainsi de suite.

Découper le « cylindre de mie » en disques réguliers de 3 à 4 mm d'épaisseur.

Découper le « cylindre » reconstitué en 8 triangles.

CONSEIL

- Il est possible d'orner le tout avec des rubans.

- Le pain surprise peut se réaliser également avec un pain de seigle et bien sûr avec d'autres ingrédients : crabe - mayonnaise, rillettes - cornichons, beurre - jambon cru, etc.

Pain de mie rectangulaire « surprise » jambon de Paris

8 pers.　　　✕✕ ◯
Prép. : 45 mn.

1 pain de mie rectangulaire
300 g. de jambon de Paris taillé
très mince
100 g. de beurre.

Laisser rassir le pain 24 à 48 heures. Découper le haut du pain, réserver ce couvercle. Couper la mie verticalement tout autour en incisant avec un couteau souple le long de la croûte en enfonçant le couteau jusqu'au fond. Dégager « le bloc de mie », couper l'extré-mité croûte du « bloc retiré », remettre dans le fond du « pain coffre » réservé. Découper le « bloc de mie » en rectangles de 3 à 4 mm d'épaisseur.

Tartiner le dernier rectangle avec du beurre en pommade, disposer du jambon de Paris, recouvrir d'un deuxième rectangle de pain de mie. Tartiner un nouveau rectangle et ainsi de suite. Superposer le tout. Découper le « bloc » obtenu en 8 rectangles.

Reconstituer le pain de mie avec les sandwichs rectangulaires. Poser le couvercle recouvert de papier aluminium, le maintenir entrebâillé en le fixant avec des « piques en bois » ou des « brochettes ». Il est possible d'orner le tout avec des rubans. Décorer le tout à sa guise.

50

Génoise fourrée à la mousse de jambon

8 pers.   ✗✗✗ ⭕

Prép. : 45 mn.   Cuiss. : 10 mn.

Génoise (sans sucre) :
4 œufs
4 g. de sel fin
50 g. de beurre
100 g. de farine.

Mousse de jambon :
125 g. de jambon cuit
5 cl. de crème fraîche
1 cl. de cognac
8 cl. de gelée
2 cuillerées à potage de fines herbes hachées
Sel, poivre de Cayenne.

Finition :
1 dl. de gelée
50 g. d'amandes effilées grillées.

Monter les 4 œufs et le sel au bain-marie, la température du mélange ne doit pas dépasser 50°, une fois le mélange bien « mousseux », continuer à fouetter hors du feu jusqu'à complet refroidissement. Ajouter alors la farine en coupant délicatement avec une spatule en bois, puis le beurre fondu. Garnir la plaque du four ou une tôle à pâtisserie de papier sulfurisé, l'enduire de beurre fondu. Etaler régulièrement la pâte, en rectangle sur la surface beurrée (épaisseur : 1 cm environ). Cuisson au four (180°, thermostat 6-7) 10 minutes environ. Le dessus de la génoise doit juste blondir.

Réduire le jambon en purée au mixer, ajouter le cognac, la gelée liquide mais à peine tiède et les fines herbes hachées. Travailler à la spatule en bois. Adjoindre la crème montée. Assaisonner. Réserver cette mousse.

Quand la génoise est cuite, la retourner sur un torchon. Y étaler la mousse de jambon à la spatule métallique. En s'aidant du torchon rouler la génoise. L'envelopper dans un papier aluminium. Réserver au réfrigérateur.

Dès la génoise complètement refroidie, trancher les deux extrémités en biais, lustrer à la gelée à l'aide d'un pinceau. Parsemer d'amandes effilées, grillées, le dessus de la génoise roulée. Découper en tranches pour servir.

51

Les crudités sauce anchoïade

Prép. : 1 h à 1 h 30 mn.   ✗ ○

Il n'y a pas de recette type pour cette préparation, c'est plutôt l'idée qui est à retenir. Ces crudités sont toujours accompagnées de sauce anchoïade (page 145). Les légumes doivent toujours être choisis très frais et « nouveaux » de préférence.

DIFFERENTS LEGUMES PEUVENT ETRE UTILISES

- *Artichauts :* petits, dits « poivrade », casser la queue, couper en quatre, retirer le foin et citronner les parties coupées.

- *Carottes :* petites, nouvelles, éplucher en laissant les fanes, laisser entières ; plus grosses, couper en bâtonnets.

- *Céleris branche :* bien éplucher, citronner, couper en bâtonnets.

- *Champignons de Paris :* bien frais et bien blancs ; petits entiers, plus gros, couper en quatre.

- *Chou-fleur :* en petits bouquets.

- *Concombre :* en bâtonnets.

- *Fenouil :* en tranches.

- *Oignons nouveaux :* petits, entiers, avec une partie de la tige.

- *Poivrons :* rouges, verts ou jaunes taillés en bâtonnets ou en losanges.

- *Radis noirs :* en bâtonnets.

- *Radis roses :* longs ou ronds, « inciser en quatre », laisser dans l'eau afin qu'ils s'ouvrent.

- *Tomates :* toutes petites entières, plus grosses en quartiers.

Autres éléments en « conserve » :

- *Cœurs d'artichauts :* entiers.

- *Cœurs de palmier :* en tronçons.

- *Feuilles de vigne :* entières.

- *Maïs :* petits entiers, plus gros en tronçons.

QUELQUES EXEMPLES DE PRESENTATION

Sans ornement : Légumes (carottes, céleri branche et concombre) taillés en bâtonnets disposés dans un verre.

Simple : Légumes en bouquets dans une corbeille de vannerie avec serviette.

Originale : Légumes harmonieusement « piqués » avec « piques en bois » sur chou vert, pamplemousse ou grosse tomate en intercalant les couleurs. Bouquets de légumes disposés dans une citrouille évidée.

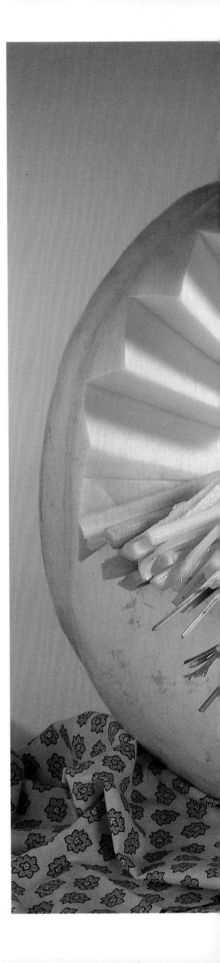

Chou rouge, pamplemousse et tomate piqués de « bagatelles »

Prép. : 1 h à 1 h 30 mn. ✗ ✗ ∞

Les « bagatelles » sont composées de petites brochettes en bois sur lesquelles on dispose différents éléments taillés en petits cubes (1 à 1,5 cm de section) : jambon, saucisson, fromage, etc. Ces éléments peuvent être accompagnés d'un carré de pain de mie beurré (même section que les cubes, 0,5 cm d'épaisseur).

Les « bagatelles » peuvent aussi être confectionnées avec d'autres éléments : cœur de céleri, crevettes, melon, céleri, etc.

12 EXEMPLES DE
« BAGATELLES »

- pain de mie, gruyère, petit losange de poivron rouge.
- pain de mie, salami, rondelle de radis.
- pain de mie, saucisson à l'ail, câpres.
- pain de mie, jambon de Paris, petit morceau de cornichon.
- pain de mie, chorizo, petit losange de poivron vert ou jaune.
- Pain de mie, filet d'anchois plié, olive verte farcie.
- Pain de mie, morceau de queue de grosse crevette rose décortiquée, petite crevette grise.
- Jambon de Bayonne, boule de melon macérée au porto.
- Tronçon de cœur de palmier, moule décortiquée et roulée dans le paprika.
- Petit radis rond.
- Losange de céleri branche.
- Olive farcie.

En harmonisant bien les couleurs, ces préparations seront de véritables bouquets sur un buffet.

Hérisson de poissons fumés

8 pers. ✗ ✗ ✗ ∞∞
Prép. : 30 mn.

1 pain de campagne ou de seigle rond
200 g. de pain de mie
200 g. de beurre
200 g. de saumon fumé
200 g. d'esturgeon ou de flétan fumé
15 petits sprats fumés en conserve
1 citron
45 « piques en bois ».

Tailler 30 bâtonnets de pain de mie (4 cm de long environ, 1 cm de section).

Couper 15 carrés de saumon fumé et 15 carrés d'esturgeon fumé (4 cm × 4 cm).

Tremper chaque bâtonnet de pain de mie dans le beurre fondu, l'enrouler de poisson fumé, les déposer au frais une vingtaine de minutes afin que le poisson fumé adhère bien au pain de mie. Mettre sur des « piques en bois ».

Tailler dans une tranche de pain de mie beurrée des carrés de 1 cm de section. Disposer sur 15 piques en bois : un dé de pain de mie, un petit sprat et un petit morceau de citron pelé à vif.

Piquer harmonieusement le tout dans le pain. Réserver au frais.

CONSEIL

- Peut s'accompagner de sauces froides (page 145).

- Le pain de mie utilisé devra être légèrement rassis.

Oeufs de caille au foie gras

10 pièces   ✗✗   ⚬⚬⚬
Prép. : 20 mn. Cuiss. : 10 mn.

200 g. de pain de mie environ
80 g. de mousse de foie gras (de
canard ou d'oie)
10 œufs de caille
20 g. de beurre.

Mettre la mousse de foie gras à température ambiante.

Détailler dans le pain de mie 10 canapés ronds de 5 à 6 cm de diamètre et d'une épaisseur de 5 mm. Les toaster au four.

Travailler la mousse de foie gras avec une fourchette, tartiner les canapés.

Au dernier moment, mettre dans une petite poêle le beurre à fondre. Casser minutieusement les œufs de caille et les cuire « au plat ». Disposer délicatement chaque œuf cuit sur un canapé toasté et tartiné de mousse de foie gras.

Scotch woodcock

10 pièces   ✗   ⚬
Prép. : 20 mn. Cuiss. : 10 mn.

200 g. de pain de mie
8 œufs
30 g. de beurre
5 cl. de crème fraîche
20 filets d'anchois à l'huile
40 câpres
Sel, poivre.

Découper le pain de mie en 10 canapés carrés (5 à 6 cm de côté) et d'une épaisseur de 5 mm. Les toaster au four.

Mettre le beurre dans une casserole, ajouter les œufs battus et assaisonnés, chauffer lentement en remuant sans discontinuer à l'aide d'une spatule en bois (les œufs brouillés doivent rester crémeux). Ajouter la crème froide hors du feu.

Disposer en dôme les œufs brouillés sur les canapés toastés. Faire une « croix » avec deux filets d'anchois sur chaque canapé, poser 4 câpres entre chaque branche. Servir immédiatement.

Préparation d'origine anglaise.

Croûtons
« anchoïade »

24 pièces   ✗ ○
Prép. : 10 mn. Cuiss. : 3 mn.

24 tranches de pain baguette
40 g. de filets d'anchois à l'huile
1 dl. d'huile d'olive
2 gousses d'ail
40 g. de beurre
50 g. de parmesan râpé.

Réduire en purée 25 g. d'anchois et l'ail, monter à l'huile d'olive, ajouter le beurre en pommade.

Tartiner avec cette purée les tranches de pain baguette, disposer un morceau de filet d'anchois sur chaque croûton, saupoudrer de parmesan râpé.

Faire gratiner au four très chaud.

Canapés chauds au
pain de noix et
Saint-Marcellin

16 pièces   ✗ ○
Prép. : 10 mn. Cuiss. : 3 mn.

16 tranches de pain aux noix
4 fromages de Saint-Marcellin
16 cerneaux de noix
1 cuillerée de paprika
3 cl. d'huile de noix.

Découper 16 canapés ronds dans le pain aux noix de 6 à 7 cm de diamètre (en fonction de celui des Saint-Marcellin).

Couper les Saint-Marcellin en deux dans le sens de la hauteur, saupoudrer de paprika. Couper chaque demi-Saint-Marcellin en 4 portions (on obtient 32 petites portions).

Disposer sur chaque canapé de pain aux noix deux petites portions de Saint-Marcellin « pointe contre pointe ». Arroser légèrement d'huile de noix. Passer au four très vif (position « gril ») quelques minutes. Le fromage doit rester chaud, mais ne pas trop « couler ».

Servir chaud. Décorer chaque canapé avec 2 demi-cerneaux de noix placés entre les portions de Saint-Marcellin gratiné.

Crevettes flambées

8 pers.
Prép. : 10 mn. Cuiss. : 5 mn.

800 g. de petites crevettes grises
ou roses, vivantes (en bord de
mer) ou cuites
3 cl. d'huile d'olive
3 cl. de cognac ou de whisky
Poivre.

Faire chauffer l'huile dans une poêle, attendre qu'elle soit « fumante ». Faire revenir très rapidement les crevettes, cette opération demande quelques secondes. Poivrer.

Flamber au cognac ou au whisky en fonction de votre goût. Servir aussitôt, très chaud.

Pruneaux au bacon

16 pièces
Prép. : 15 mn. Cuiss. : 5 mn.

16 pruneaux (200 g. environ)
16 très fines tranches de
poitrine fumée (200 g. environ)
2 saucisses de Strasbourg
16 piques en bois.

Couper les saucisses en deux dans le sens de la longueur, et les tailler en bâtonnets de 2 à 3 cm.

Fendre et retirer le noyau des pruneaux, les farcir d'un morceau de saucisse, enrouler chacun dans une tranche de poitrine, fixer le tout par un pique en bois.

Passer à four très chaud (250°, thermostat 8-9) pendant 5 minutes juste avant de servir.

Cubes de gruyère à la dauphinoise

20 pièces
Prép. : 15 mn. Cuiss. : 5 mn.

250 g. de gruyère
50 g. de cerneaux de noix
concassés
20 g. de grains de raisin (rouge
de préférence)
50 g. de beurre
20 piques en bois.

Couper 20 cubes réguliers de gruyère (2,5 cm de côté environ).

Les passer à la poêle vivement avec un peu de beurre. Faire bien attention à ce que le fromage ne fonde pas en « profondeur ». Rouler ces cubes aussitôt dans les cerneaux de noix écrasés, les enrober entièrement. Mettre sur un « pique en bois » un raisin rouge sur chaque morceau de gruyère.

Brochette mortadelle gruyère

20 pièces
Prép. : 20 mn.

200 g. de gruyère
200 g. de mortadelle
20 olives noires dénoyautées
100 g. de poivron rouge
20 « piques en bois ».

Epépiner le poivron. Le passer au four quelques minutes afin de pouvoir retirer la peau. Couper en petits rectangles.

Couper 20 petits cubes réguliers de gruyère (2 cm de côté environ), faire de même avec la mortadelle.

Fixer sur chaque « pique en bois », un cube de mortadelle, puis un cube de gruyère, finir avec une olive noire dénoyautée enroulée dans un morceau de poivron rouge.

Cocktail melon pastèque

8 pers. ✕ ○
Prép. : 20 mn.

1 melon de 800 g. environ
1 tranche de pastèque (800 g.)
1 dl. de marsala (vin de liqueur italien)
1 dl. de sauternes
Quelques gouttes de grenadine
1 citron.

Eplucher et épépiner melon et pastèque. Couper en dés (1 cm de côté environ).

Mettre à macérer dans un saladier avec marsala, sauternes, grenadine et le jus d'un citron.

Mettre 8 verres au réfrigérateur, de préférence des verres à pied à fond plat (type verre à vin d'Alsace). Les givrer éventuellement.

Emplir les verres des fruits macérés. Disposer quelques piques en bois. Décorer avec une demi-tranche de citron cannelé posée sur le bord du verre.

Ce cocktail original ouvrira parfaitement l'appétit des invités.

Humecter le bord d'un verre avec un jus de citron.

Former la « collerette de givre » en plongeant le verre dans du sucre semoule (éventuellement coloré), du chocolat en poudre ou du sucre vanillé.

Lors d'une réception, « les petits feuilletés », sous des formes diverses sont pratiquement toujours présents.

Pour un simple apéritif on les retrouve seuls.

Lors d'une manifestation plus importante ils précèdent d'autres préparations (canapés, petites pièces chaudes).

Base de fabrication et cuisson des petits feuilletés

120 pièces   ✕✕   ⚭
Prép. : 20 mn.

700 g. de pâte feuilletée
2 œufs (dorure).

Abaisser la pâte assez mince, pas plus de 2 mm. Les petits feuilletés sont toujours passés à la dorure (œuf battu) à l'aide d'un pinceau avant cuisson et « marqués » légèrement avec le dos d'un couteau ou d'une fourchette.

Cuisson : les petits feuilletés sont réunis sur des plaques à pâtisserie légèrement humides. Cuire à four très chaud (240° environ, thermostat 8-9) pendant 5 minutes environ, terminer la cuisson à four chaud (200°, thermostat 6-7) pendant 10 à 15 minutes. Se servent en plats ronds avec papier dentelle ou gaufré.

Amandes et olives noires

48 pièces   ✕✕   ◯
Prép. : 1 h.   Cuiss. : 15 mn.

300 à 350 g. de pâte feuilletée
« finie »
24 amandes grillées salées
24 olives noires dénoyautées
1 cuillerée à café de fleur de thym
3 cl. d'huile d'olive.

Faire macérer les olives noires dénoyautées avec la fleur de thym et l'huile d'olive.

Abaisser le feuilletage, détailler 48 « ronds » (cannelés ou unis) de 5 à 6 cm de diamètre. Passer de la dorure au pinceau.

Poser amandes et olives noires (dénoyautées macérées), dans chaque « rond », rabattre afin de former « un petit chausson en demi-cercle », appuyer sur les bords afin que la pâte soit bien soudée, passer de la dorure au pinceau, marquer avec le dos d'un couteau.

Allumettes et sacristains au fromage

48 pièces ✗✗ ◯
Prép. : 1 h. Cuiss. : 15 mn.

300 à 350 g. de pâte feuilletée
« finie »
80 g. de gruyère râpé
2 cuillerées à potage de paprika
Jaune d'œuf pour dorer.

Hacher le gruyère râpé avec le paprika.

Abaisser le feuilletage en deux rectangles de 36 cm × 8 cm (environ), passer de la dorure au pinceau. Saupoudrer avec le mélange « gruyère-paprika ». Passer le rouleau à pâtisserie pour bien fixer ce mélange à la pâte.

Détailler 48 rectangles de 8 cm. Les laisser tels quels pour les 24 allumettes, les « vriller » pour les 24 sacristains.

Anchois

24 pièces ✗✗ ◯
Prép. : 1 h. Cuiss. : 15 mn.

150 à 180 g. de pâte feuilletée
« finie »
10 filets d'anchois à l'huile
(25 g. environ)
Jaune d'œuf pour dorer.

Abaisser le feuilletage en un rectangle de 36 cm × 16 cm (environ), passer de la dorure au pinceau.

Disposer deux longueurs d'anchois dans la demi-partie basse du rectangle, rabattre la demi-partie haute de la pâte, afin d'obtenir un rectangle de 36 cm × 8 cm (environ).

Passer de la dorure au pinceau, marquer avec le dos d'un couteau. Détailler 24 petits rectangles de 8 cm × 1,5 cm et les faire cuire au four th. 8, 15 minutes.

Abaisser la pâte feuilletée assez mince (2 mm) et découper un rectangle de 36 cm × 16 cm. Passer de la dorure au pinceau. Disposer les anchois sur la demi-partie basse du rectangle de pâte.

Rabattre la demi-partie haute afin d'obtenir un rectangle de 36 cm × 8 cm. Passer la dorure au pinceau et « marquer » légèrement avec le dos d'un couteau le dessus de l'abaisse.

Détailler 24 petits feuilletés aux anchois (8 cm × 1,5 cm) et les disposer sur une plaque à pâtisserie légèrement humide.

Jambon gruyère

24 pièces ✗✗ ◯
Prép. : 1 h. Cuiss. : 15 mn.

150 à 180 g. de pâte feuilletée
« finie »
60 g. de jambon de Paris taillé
très mince
40 g. de gruyère
Dorure.

Abaisser le feuilletage en un rectangle de 36 cm × 16 cm (environ), passer de la dorure au pinceau.

Parsemer de gruyère râpé la demi-partie basse du rectangle, disposer dessus le jambon, rabattre la demi-partie haute de la pâte, afin d'obtenir un rectangle de 36 cm × 8 cm (environ).

Passer de la dorure au pinceau, marquer avec le dos d'un couteau. Y couper 24 petits rectangles de 8 cm × 1,5 cm.

CONSEIL

- Si la fabrication de la pâte feuilletée pose trop de problèmes, il est toujours possible de l'acheter toute prête (surgelée ou non), ce qui donne un résultat fort correct.

Dans ce cas, pour parfaire le goût, badigeonner de beurre fondu à l'aide d'un pinceau les feuilletés dès leur sortie du four.

- Les chutes de pâte feuilletée appelées également parures sont inévitables, surtout après des découpes rondes (feuilletés aux amandes et aux olives noires). Elles peuvent être utilisées pour la fabrication de nouveaux petits feuilletés.

Réunir les chutes surtout sans les mélanger, les superposer puis abaisser.

*Enduire le centre de chaque bande-
lette de pâte feuilletée avec de la
moutarde.*

*Disposer une saucisse cocktail,
l'entourer de pâte feuilletée. Souder
la bordure en appuyant. Déposer
sur une plaque à pâtisserie légèrement humide. Passer la dorure
(jaune d'œuf et 1 cuillerée à café
d'eau) et « marquer » avec le dos
d'un couteau.*

Petits chaussons feuilletés noix roquefort

24 pièces   ✗✗✗ ◯◯
Prép. : 1 h. Cuiss. : 15 mn.

*150 à 180 g. de pâte feuilletée
« finie »
24 cerneaux de noix
80 g. de roquefort
Jaune d'œuf pour dorer.*

Abaisser le feuilletage assez
mince. Détailler 24 « ronds » (cannelés ou unis) de 5 à 6 cm de
diamètre. Passer de la dorure au
pinceau sur les bords de chaque
« rond ».

Réduire le roquefort en purée à
l'aide d'une fourchette. Enduire le
centre de chaque « rond » avec
cette purée. Poser un cerneau de
noix. Rabattre afin de former « un
petit chausson en demi-cercle ».
Appuyer sur les bords afin que la
pâte soit soudée. Passer de la
dorure au pinceau et marquer
légèrement avec le dos d'un couteau.

Cuire au four (220°, thermostat
7-8) durant 15 minutes.

Saucisses feuilletées

24 pièces   ✗✗ ◯
Prép. : 1 h. Cuiss. : 15 mn.

*200 g. de pâte feuilletée « finie »
3 cuillerées à soupe de moutarde
24 saucisses cocktail
Jaune d'œuf pour dorer.*

Abaisser le feuilletage assez
mince, pas plus de 2 mm. Tailler
en bandelettes de 5 cm de largeur.
A l'aide d'un pinceau passer la
dorure. Enduire le centre de
chaque bandelette avec de la moutarde.

Disposer une saucisse cocktail
sur la bandelette et l'enrouler,
couper. Appuyer la bordure pour
souder l'ensemble. Déposer les saucisses feuilletées sur une plaque à
pâtisserie légèrement humide. Passer la dorure à l'aide d'un pinceau
et « marquer » légèrement avec le
dos d'un couteau.

Cuire au four (220°, thermostat
7-8) durant 15 minutes.

Mini-galettes aux champignons

24 pièces   ✗✗✗ ◯
Prép. : 1 h. Cuiss. : 15 mn.

*300 à 350 g. de pâte feuilletée
« finie »
300 g. de champignons de Paris
20 g. d'échalote
5 cl. de crème fraîche
Dorure
Sel, poivre.*

Equeuter et laver les champignons de Paris. Les réduire en
purée. Faire suer l'échalote ciselée
au beurre dans une casserole, ajouter la purée de champignons, assaisonner. Cuire vivement à décou-
vert jusqu'à évaporation complète
de l'eau de végétation des champignons. Ajouter la crème, réduire.
Laisser refroidir (cette préparation
s'appelle une duxelles).

Abaisser le feuilletage assez
mince. Détailler 48 « ronds » (cannelés ou unis) de 5 cm de diamètre,
en déposer 24 sur une plaque à
pâtisserie légèrement humide. Dorer le pourtour de chaque « rond »,
déposer au centre un peu de duxelles (à l'aide d'une poche munie
d'une douille unie moyenne). Recouvrir chaque forme ronde avec
un rond de feuilletage de même
diamètre. Appuyer le pourtour
pour faire adhérer. Dorer et rayer
avec le dos d'un petit couteau.

Cuire au four (220°, thermostat
7-8) durant 15 minutes.

Détailler des « ronds » de 5 à 6 cm de diamètre dans une abaisse de pâte feuilletée (2 mm d'épaisseur).

Enduire le centre de chaque « rond » avec de la purée de roquefort, y déposer un cerneau de noix.

Couvrir d'un autre rond de pâte. Souder les bords. Passer la dorure. Marquer à l'emporte-pièce et déposer sur une plaque à pâtisserie légèrement humide.

Friands miniatures

24 pièces ✗✗ ∞
Prép. : 1 h. Cuiss. : 15 mn.

200 g. de pâte feuilletée « finie »
200 g. de chair à saucisse
3 cl. de porto
1 cuillerée à potage de fines herbes hachées
1 œuf
Dorure.

Travailler la chair à saucisse dans un saladier à l'aide d'une spatule en bois. Ajouter porto, fines herbes et un œuf entier, rectifier l'assaisonnement si nécessaire.

Abaisser le feuilletage assez mince. Tailler en bandelettes de 5 cm de largeur, dorer au pinceau. A l'aide d'une poche munie d'une douille unie moyenne, disposer un cordon de chair à saucisse au centre de chaque bandelette. Rabattre, couper les friands miniatures (4 cm de long environ). Appuyer bien sur les bords afin de souder l'ensemble. Passer de la dorure au pinceau et marquer légèrement avec le dos d'un couteau.

Cuire au four (220°, thermostat 7-8) durant 15 minutes.

Oeufs brouillés dans leur coque aux oeufs de poisson

8 pers.   ✗ ∞
Prép. : 20 mn. Cuiss. : 10 mn.

8 œufs
30 g. de beurre
5 cl. de crème fraîche
40 g. d'œufs de saumon
40 g. d'œufs de lump
Sel, poivre.

Casser les œufs délicatement à l'aide d'un manche de couteau afin de garder la coquille la plus présentable possible pour servir.

Battre les œufs, assaisonner, ajouter les 3/4 des œufs de poisson.

Mettre le beurre et les œufs dans une casserole, chauffer lentement en remuant sans discontinuer avec une spatule en bois jusqu'à consistance crémeuse.

Ajouter la crème fraîche hors du feu, rectifier l'assaisonnement.

Disposer les coquilles dans des coquetiers. Les remplir d'œufs. Décorer le sommet avec le reste d'œufs de saumon et de lump.

Oeufs brouillés aux oursins

8 pers.   ✗ ∞∞∞
Prép. : 30 mn. Cuiss. : 10 mn.

8 oursins
16 œufs
20 g. de beurre
3 cl. d'huile d'olive
5 cl. de crème fraîche
1 cuillerée à potage de ciboulette ciselée
1 demi-citron
Sel, poivre.

Ouvrir les oursins (avec des gants). A partir de la partie molle qui entoure la bouche, avec des ciseaux, découper tout autour à mi-hauteur, retirer la calotte et éliminer l'appareil digestif (partie noirâtre) en secouant l'oursin.

Retirer à l'aide d'une petite cuillère le corail composé de cinq « lamelles » jaunes ou oranges (seule partie comestible de l'oursin).

Nettoyer l'intérieur de chaque oursin.

Battre les œufs, assaisonner, ajouter le corail d'oursins et le jus d'un demi-citron.

Mettre huile, beurre, œufs dans une casserole, chauffer lentement en remuant avec une spatule en bois jusqu'à consistance crémeuse.

Ajouter la crème fraîche hors du feu, remplir chaque oursin, disposer sur le dessus une touche de ciboulette ciselée.

CONSEIL

- Un oursin (ou « châtaigne de mer » ou « hérisson de mer ») frais doit avoir des piquants fermes et un orifice buccal très serré.

- La saveur du corail reste toujours fortement iodée.

Banderilles espagnoles

20 pièces   ✗ ○
Prép. : 35 mn. Cuiss. : 10 mn.

10 œufs
8 cl. d'huile d'olive
200 g. de tomates
100 g. de gros oignons
100 g. de poivrons
1 bouquet garni
1 gousse d'ail
2 cuillerées de persil haché
20 olives vertes farcies au piment
20 grosses rondelles de chorizo sans peau

20 piques en bois
Sel, poivre.

Monder les tomates, les couper en deux, les épépiner, les concasser.

Couper en deux et épépiner les poivrons. Les passer au four quelques minutes afin de pouvoir retirer la peau, les émincer.

Emincer les oignons, les faire suer avec les poivrons dans 4 cl. d'huile d'olive, ajouter la tomate concassée, l'ail et le bouquet garni, assaisonner et laisser cuire une vingtaine de minutes.

Battre les œufs en omelette, ajouter le mélange préparé ci-dessus refroidi et le persil haché, rectifier l'assaisonnement.

Faire une omelette avec 4 cl. d'huile d'olive à la poêle. Cette omelette doit être bien cuite (finir la cuisson au four), plate et épaisse (2 cm d'épaisseur environ, la laisser refroidir).

Découper de gros cubes (2 cm de côté environ). Présenter chaque morceau d'omelette refroidi fixé sur un « pique en bois » avec une olive verte farcie de piment, et une grosse rondelle de chorizo sans peau.

Petites ou grandes, avec jambon, coquillages, crustacés, épinards ou toute autre garniture, les quiches sont toujours composées de deux mêmes éléments de base :
- la pâte brisée,
- la crème appelée le plus souvent mélange à crème prise.

36 pièces

300 g. de « base farine » en pâte brisée non sucrée (p. 163)
1/4 lit. de lait
1/4 lit. de crème
2 œufs entiers
2 jaunes
Sel, poivre et muscade.

Réaliser la pâte brisée. La laisser reposer au frais 20 minutes, foncer 36 petits moules ronds,

carrés ou en forme de barquette, piquer légèrement la pâte avec une fourchette.

Le mélange à crème prise : mélanger dans un saladier le lait, la crème, 2 œufs entiers et 2 jaunes, assaisonner avec sel, poivre et muscade.

La cuisson de toutes ces petites quiches est d'une vingtaine de minutes dans un four chaud (200°, thermostat 6-7).

Flan aux moules « cressonnette »

36 pièces
Prép. : 50 mn. Cuiss. : 20 min.

1 kg. de moules de Bouchot
40 g. d'échalotes
1 dl. de vin blanc
1 cuillerée à soupe de persil haché

1 pincée de fleur de thym
1 botte de cresson
20 g. de beurre
1 pincée de safran pour remplacer la muscade dans la crème.

Gratter, nettoyer et laver les moules.

Réunir dans une casserole les moules, l'échalote ciselée, le vin, le thym et le persil haché. Poivrer légèrement. Cuire à feu vif et à couvert 5 à 6 minutes. Remuer le récipient en cours de cuisson.

Décortiquer les moules, réserver.

Trier et laver le cresson, hacher grossièrement, faire suer au beurre quelques minutes.

Dans le mélange à crème prise, remplacer la muscade par le safran.

Disposer sur la pâte les moules décortiquées, égouttées, répartir sur celles-ci le cresson haché sué, verser le mélange à crème prise.

« Quichettes » à l'écossaise

36 pièces   ✗ ⚬⚬⚬
Prép. : 50 mn.   Cuiss. : 20 mn.

150 g. de saumon fumé
80 g. de gruyère râpé.

Détailler le saumon fumé en carrés de 4 cm × 4 cm, disposer un carré dans chaque tartelette. Saupoudrer de gruyère râpé, verser le mélange à crème prise.

CONSEIL

Cette recette est bien pratique pour utiliser les « chutes » de saumon fumé après la préparation de canapés ou d'assiette de la Baltique.

Tartelettes à l'oignon

36 pièces   ✗ ⚬
Prép. : 50 mn.   Cuiss. : 20 mn.

800 g. d'oignons
40 g. de beurre
80 g. de poitrine fumée en fines tranches
2 cl. d'huile.

Eplucher, laver et émincer les oignons (en réserver un pour la présentation). Les cuire doucement au beurre pendant 30 minutes environ, remuer fréquemment afin d'obtenir une coloration blonde uniforme.

Détailler la poitrine fumée en lamelles de 2 cm de longueur, sauter rapidement à l'huile, égoutter.

Répartir les oignons et la poitrine fumée sur la pâte, verser le mélange à crème prise. Disposer harmonieusement des rondelles d'oignons en surface réservées à cet effet.

Petites quiches lorraines

36 pièces   ✗ ⚬
Prép. : 50 mn.   Cuiss. : 20 mn.

100 g. de gruyère râpé
150 à 200 g. de poitrine fumé ou de jambon
2 cl. d'huile.

Détailler la poitrine fumée en petits lardons, faire sauter à la poêle dans l'huile, égoutter.

Disposer sur la pâte lardons et gruyère râpé, verser le mélange à crème prise.

Pizzas miniatures

36 pièces
Prép. : 50 mn. Cuiss. : 20 mn.

300 g. de « base farine » en pâte
brisée non sucrée (p. 163)
1,5 kg. de tomates fraîches
1 dl. d'huile d'olive
100 g. d'oignons
4 gousses d'ail
1 bouquet garni
10 filets d'anchois à l'huile
18 olives noires
50 g. de gruyère râpé
1 cuillerée à potage de fleur de
thym
Sel, poivre.

Réaliser la pâte brisée. La laisser reposer au frais 20 minutes, foncer 36 petits moules ronds, carrés ou en forme de barquette, piquer légèrement la pâte avec une fourchette.

Monder les tomates à l'eau bouillante, couper en deux, épépiner, concasser. Faire suer l'oignon ciselé dans 5 cl. d'huile d'olive, ajouter la tomate, l'ail écrasé, le bouquet garni, saler, poivrer. Laisser cuire jusqu'à évaporation complète de l'eau de végétation.

Disposer une cuillerée à potage de tomate concassée dans chaque moule sur la pâte, ajouter une demi-olive noire, un morceau d'anchois, saupoudrer de gruyère râpé et de fleur de thym, verser un « filet d'huile d'olive » sur chaque « pizza miniature ».

Cuire 20 minutes au four (200°, thermostat 6-7).

CONSEIL

- Les grandes pizzas se réalisent en pâte à pain. Pour les pizzas miniatures il est beaucoup plus facile d'utiliser une pâte brisée voire feuilletée (chute de feuilletage) à cause des problèmes de fonçage.

- Hors saison on peut utiliser les conserves de tomates ménagères ou industrielles.

- Pour varier, d'autres éléments peuvent être ajoutés sur les pizzas miniatures : champignons émincés et cuits, dés de jambon, moules décortiquées, thon émietté à l'huile.

Beurrecks à la turque

16 pièces   ✗✗ ○
Prép. : 40 mn.   Cuiss. : 3 à 5 mn.

Pâte à crêpes (1/2 proportion p. 163).

Sauce Mornay (très épaisse) :
3 dl. de lait
30 g. de farine
30 g. de beurre
50 g. de gruyère râpé
50 g. de gruyère en petits dés
3 jaunes d'œufs.

Finition :
50 g. de farine
2 œufs
5 cl. d'huile d'olive
200 g. de panure
Sel, poivre et muscade.

Faire un roux 30 g. de beurre, 30 g. de farine, verser 3 dl. de lait bouillant sur le roux refroidi. Porter à ébullition pendant 5 minutes en remuant au fouet, assaisonner sel, poivre et muscade. Ajouter les 3 jaunes d'œufs, reporter à ébullition quelques secondes. Incorporer délicatement hors du feu le gruyère râpé et en petits dés. Cette sauce Mornay doit être très épaisse. Laisser refroidir.

Fabriquer les crêpes assez fines.

Façonner la sauce Mornay refroidie en 16 parties de la forme et de la grosseur d'un cigare. Envelopper chaque partie dans une crêpe.

Paner à l'anglaise les beurrecks. Les rouler dans la farine, dans l'anglaise (2 œufs entiers battus, 5 cl. d'huile, sel et poivre, muscade) et enfin dans la panure.

Au dernier moment plonger les beurrecks quelques minutes dans un bain d'huile très chaud.

Il est important que les beurrecks soient « fermés délicatement et hermétiquement » afin que la sauce qui se ramollit à la cuisson ne puisse pas « sortir ».

CONSEIL

- Les beurrecks se façonnent généralement en forme de cigares mais peuvent également se présenter sous d'autres formes (carrés, ronds).

- Les crêpes peuvent être remplacées par une abaisse ovale de pâte à nouille (mince comme une feuille de papier).

- Il est possible d'ajouter dans la sauce Mornay des dés de jambon, une duxelles de champignons ou autres éléments.

Petits mille-feuilles chauds au roquefort

20 pièces   ✗✗   ∞
Prép. : 1 h. Cuiss. : 20 mn.

200 g. de « base farine » en pâte feuilletée (p. 163)
50 g. de beurre
50 g. de farine
5 dl. de lait
3 jaunes d'œufs
100 g. de roquefort
20 demi-cerneaux de noix
1 cuillerée à potage de paprika
Sel, poivre et muscade.

Confectionner un roux (50 g. de beurre, 50 g. de farine). Verser 5 dl. de lait bouillant sur le roux rafraîchi. Porter à ébullition pendant 5 minutes environ en remuant au fouet, assaisonner de sel, poivre et muscade. Ajouter les 3 jaunes d'œufs, reporter à ébullition quelques secondes. Incorporer délicatement hors du feu le roquefort réduit au préalable en purée à la fourchette. Réserver au chaud.

Abaisser la pâte feuilletée assez mince. Réaliser 2 rectangles de feuilletage (21 cm × 30 cm). Les disposer sur une plaque à pâtisserie légèrement humide, piquer abondamment avec une fourchette. Cuire à four très chaud (250°, thermostat 8-9) pendant 5 minutes environ, terminer la cuisson à four chaud (200°, thermostat 6-7) pendant 10 à 15 minutes.

Couper chaque rectangle de feuilletage en trois parties égales dans le sens de la longueur. Masquer de sauce Mornay au roquefort les deux « premières bandes » de feuilletage, couvrir de deux autres « bandes de feuilletage ». Recommencer la même opération pour les « troisièmes bandes » afin d'obtenir deux mille-feuilles longs (7 cm × 30 cm).

Masquer de sauce Mornay au roquefort le dessus de chaque mille-feuille. Saupoudrer de paprika. Couper vingt petits mille-feuilles (7 cm × 3 cm). Passer quelques minutes à four très chaud (250°, thermostat 8-9) afin de glacer (donner une couleur dorée) la surface de chaque mille-feuille. Décorer chaque pièce avec un cerneau de noix.

CONSEIL

En fonction de chaque région et du budget prévu le roquefort peut être remplacé par n'importe quel autre fromage bleu (bleu de Bresse, des Causses...).

Talmouses en tricorne aux raisins

20 pièces ✕✕✕ ○
Prép. : 1 h. Cuiss. : 20 mn.

400 g. de pâte feuilletée (soit
200 g. environ de « base farine »)
1 œuf dorure
40 g. de beurre
40 g. de farine
4 dl. de lait
2 jaunes d'œufs
80 g. de gruyère râpé
30 g. de raisins secs
Sel, poivre et muscade.

Faire blanchir les raisins secs, rafraîchir, égoutter, réserver.

Confectionner un roux (40 g. de beurre, 40 g. de farine). Verser 4 dl. de lait bouillant sur le roux refroidi. Porter à ébullition pendant 5 minutes environ en remuant au fouet, assaisonner de sel, poivre et muscade. Ajouter les 2 jaunes d'œufs, reporter à ébullition quelques secondes. Incorporer délicatement hors du feu le gruyère râpé, les raisins secs blanchis.

Abaisser la pâte feuilletée, détailler 20 « ronds » cannelés de 10 à 12 cm de diamètre. Disposer au centre de chaque « rond » une grosse noix de sauce réalisée ci-dessus, passer de la dorure sur le pourtour. Replier en trois parties les bords de chaque « rond » afin de former un tricorne. Souder les bords en les pinçant avec les doigts. Passer de la dorure et disposer les talmouses sur une plaque à pâtisserie humidifiée. Réunir et abaisser les parures de feuilletage sans pétrir. Détailler des ronds cannelés de 2 à 3 cm de diamètre. Disposer ces petits ronds sur les talmouses en fixant fermement les bords. Passer de la dorure.

Cuire au four (250°, thermostat 8-9) 5 minutes environ, terminer la cuisson (200°, thermostat 6-7) 15 minutes environ.

Dorer le pourtour d'un rond cannelé en feuilletage, garnir l'intérieur. Replier en trois parties les bords vers le centre afin de former un tricorne. Souder les bords en les pinçant avec les doigts.

Petites gougères bourguignonnes

30 à 40 pièces ✗ ○
Prép. : 30 mn. Cuiss. : 20 mn.

1/4 lit. de pâte à choux
100 g. de gruyère en petits dés
1 œuf entier (dorure)
Poivre.

Réaliser la pâte à choux, poivrer légèrement, incorporer hors du feu une partie des petits dés de gruyère.

A l'aide d'une poche à grosse douille ronde, dresser des petits « choux » de la grosseur d'un œuf de pigeon sur une plaque à pâtisserie légèrement beurrée. Badigeonner à la dorure, disposer quelques petits dés de gruyère sur chaque gougère.

Mettre à cuire dans un four chaud (200°, thermostat 6-7) pendant 20 minutes environ, bien les laisser sécher avant de les retirer du four. Servir tiède à l'apéritif.

Noix au fromage

20 pièces ✗ ○
Prép. : 25 mn.

75 g. de comté
75 g. de roquefort ou fromage similaire
75 g. de crème de gruyère
100 g. de beurre
50 g. d'amandes hachées
50 g. de cerneaux de noix concassés
Quelques gouttes de cognac
Sel, poivre.

Découper le comté en tout petits dés.

Mélanger au mixer beurre, crème de gruyère et roquefort, ajouter les tout petits dés de comté, le cognac, assaisonner à son goût.

Former avec cette masse des petites boules de la grosseur d'une noix.

Faire dorer au four les amandes hachées, mélanger avec les cer-

neaux concassés et rouler les « noix de fromage » dans ce mélange.

Mettre au réfrigérateur et laisser durcir.

Mini-croque-monsieur

16 pièces ✗ ○
Prép. : 20 mn. Cuiss. : 5 mn.

300 g. de pain de mie (8 tranches rectangulaires)
50 g. de gruyère râpé
100 g. de jambon de Paris (taillé très mince)
50 g. de beurre
16 « piques » en bois.

Parer les tranches de pain de mie, couper chacune d'elle en quatre afin d'obtenir 32 petits carrés de pain de mie (4 cm de côté environ). Tartiner de beurre en pommade tous les carrés de pain de mie sur les deux faces.

Couper dans le jambon 16 carrés (4 cm × 4 cm). Parsemer d'un peu de gruyère râpé chaque carré de pain de mie, disposer un petit carré de jambon, parsemer de nouveau avec un peu de gruyère râpé, recouvrir le tout avec un autre carré de pain de mie. Maintenir le tout avec un « pique » en bois.

Passer à four très chaud (250°, thermostat 8-9) pendant 5 minutes juste avant de servir.

Camembert frit

12 pièces ✗ ○
Prép. : 20 mn. Cuiss. : 5 mn.

1 camembert pas trop « fait »
50 g. de farine
2 œufs
5 cl. d'huile
200 g. de panure
Poivre de Cayenne.

Couper le camembert en 12 parts. Saupoudrer de poivre de Cayenne.

Paner les portions de camembert. Les rouler dans la farine, puis dans l'anglaise (œufs entiers battus, huile et un peu d'eau) et enfin dans la panure.

Plonger quelques minutes dans un bain d'huile très chaud. Servir chaud avec au choix toasts, pain de seigle, pain complet ou pain aux noix.

CONSEIL

Si le camembert est un peu « fait », paner les portions deux fois.

Mini-toasts vaudois

16 pièces ✗ ○
Prép. : 20 mn. Cuiss. : 5 mn.

150 g. de pain de mie (4 tranches rectangulaires)
100 g. de gruyère râpé
2 jaunes d'œufs
1 cuillerée à soupe de crème fraîche
100 g. de jambon de Paris (taillé très mince)
25 g. de beurre.

Parer les tranches de pain de mie, couper chacune d'elles en quatre afin d'obtenir 16 petits carrés de pain de mie (4 cm de côté environ). Tartiner de beurre en pommade tous les carrés de pain de mie sur les deux faces.

Mélanger le gruyère râpé, la crème et les jaunes pour obtenir un mélange épais. Couper dans le jambon 16 carrés (4 cm × 4 cm).

Disposer un carré de jambon sur chaque carré de pain, tartiner avec le mélange « gruyère, crème et jaunes » (couche assez épaisse).

Passer à four chaud (250°, thermostat 8-9) pendant 5 minutes juste avant de servir.

Préparation préliminaire des escargots (de conserve, ménagère ou industrielle)

40 pièces   ✗ ◯
Prép. : 5 mn. Cuiss. : 35 min.

1/2 lit. d'eau
1 dl. de vin blanc
1 bouquet garni
50 g. d'oignon
2 gousses d'ail
Sel, poivre.

Emincer l'oignon.

Réunir tous les éléments dans une casserole, laisser cuire 30 minutes environ.

Egoutter les escargots, les rincer à l'eau tiède, les plonger dans le court-bouillon, laisser frémir quelques minutes.

Une fois refroidis, égoutter les escargots.

Beurre à escargots

40 pièces   ✗ ◯◯
Prép. : 5 mn.

250 g. de beurre
15 g. d'ail
50 g. de persil
Sel, poivre.

Hacher le persil et l'ail.

Mélanger avec le beurre en pommade, assaisonner.

Beignets d'escargots

40 pièces   ✗ ◯◯◯
Prép. : 40 mn. Cuiss. : 5 min.

40 escargots en conserve
1/2 lit. de court-bouillon
250 g. de « base farine » en pâte à frire (p. 163)
5 cl. de cognac
2 gousses d'ail hachées
50 g. d'échalote ciselée
2 cuillerées de persil haché
5 cl. d'huile
Sel, poivre.

Préparer les escargots au court-bouillon.

Sauter les escargots à la poêle dans l'huile, ajouter échalote, ail et persil hachés, saler, poivrer. Flamber au cognac. Laisser refroidir totalement.

Mélanger délicatement les escargots refroidis et la pâte à frire sans trop travailler la masse. Verser de cette « pâte » à l'aide d'une cuillère dans de l'huile chaude (chaque cuillerée doit comporter un peu de pâte et 1 ou 2 escargots). Laisser dorer, égoutter, servir chaud.

La sauce aïoli (page 145) accompagnera très bien ces beignets.

Escargots à la forestière

40 pièces   ✗ ◯◯◯
Prép. : 40 mn. Cuiss. : 5 à 8 min.

40 escargots de conserve
250 g. de beurre à escargots
1/2 lit. de court-bouillon
40 têtes de champignons de Paris (soit 700 g. environ)
1 citron
40 piques en bois.

Préparer les escargots au court-bouillon.

Retirer la partie rose (l'intérieur) des têtes de champignons de Paris à l'aide d'un petit couteau ou d'une cuillère, les citronner pour éviter qu'elles ne noircissent.

Déposer dans chaque tête de champignon un escargot, recouvrir avec le beurre à escargots, maintenir le tout avec un « pique en bois », réserver au frais.

Passer à four très chaud (250°, thermostat 8-9) pendant 5 à 8 minutes au dernier moment.

Feuilletés d'escargots

40 pièces ✕✕✕ ⟳⟳⟳
Prép. : 1 h. Cuiss. : 25 min.

40 escargots de conserve
250 g. de beurre à escargots
1/2 lit. de court-bouillon
350 g. de « base farine » en pâte feuilletée
1 œuf (dorure).

Abaisser la pâte feuilletée assez mince (2 mm environ d'épaisseur). Détailler 80 « ronds » cannelés de 5 cm de diamètre, en disposer 40 sur une plaque à pâtisserie, passer à la dorure. Surmonter d'une couronne de feuilletage de 5 cm de diamètre extérieur et 3 cm de diamètre intérieur, passer de nouveau à la dorure. Cuire à four très chaud (250°, thermostat 8-9) pendant 5 minutes environ, terminer la cuisson à four chaud (200°, thermostat 6-7) pendant 15 minutes environ.

Préparer les escargots au court-bouillon.

Retirer le « chapeau de chaque bouchée », introduire dans chacune d'elle un escargot égoutté chaud, recouvrir d'une cuillerée de beurre à escargots en pommade. Passer à four chaud (200°, thermostat 6-7) pendant quelques minutes.

Petits choux aux escargots

40 pièces ✕✕ ⟳⟳⟳
Prép. : 50 mn. Cuiss. : 25 min.

40 escargots de conserve
250 g. de beurre à escargots
1/2 lit. de court-bouillon
1/4 lit. de pâte à choux
1 œuf (dorure).

Confectionner la pâte à choux (page 164). « Coucher » une quarantaine de choux de la grosseur d'une noix sur une plaque à pâtisserie, légèrement graissée, à l'aide d'une poche et d'une douille unie moyenne. Les espacer les uns des autres en les disposant en quinconce. Passer la dorure à l'aide d'un pinceau sur toute la surface des petits choux. Mettre à cuire à four chaud (200°, thermostat 6-7) pendant 20 minutes environ, attention à ce qu'ils soient bien secs avant de les retirer du four.

Préparer les escargots au court-bouillon.

Découper à l'aide d'un couteau scie un petit couvercle sur le dessus de chaque chou refroidi. Introduire dans chacun d'eux un escargot égoutté chaud, recouvrir d'une cuillerée de beurre à escargots en pommade. Passer à four chaud (200°, thermostat 6-7) pendant quelques minutes.

Moules farcies au gratin

80 pièces ✕✕ ◯◯
Prép. : 50 mn. Cuiss. : 20 min.

4 kg. de moules d'Espagne (soit
80 pièces environ)
2 dl. de vin blanc
30 g. d'échalote
50 g. de persil
1 cuillerée à soupe d'estragon
5 jaunes d'œufs
400 g. de beurre
10 g. d'ail
Sel, poivre.

Gratter, laver les moules, les mettre dans un récipient avec de l'eau froide à hauteur. Rafraîchir une fois ouvertes. Retirer une coquille à chaque moule. Réserver au frais.

Mettre le beurre à température ambiante.

Faire réduire aux 3/4 le vin blanc, l'échalote et la moitié des fines herbes hachées, passer cette réduction, la laisser refroidir. Monter au fouet les 4 jaunes d'œufs au bain-marie avec cette réduction, cette opération est relativement longue. La température doit rester modérée, les jaunes doivent bien développer afin d'obtenir une préparation onctueuse et légère. Ajouter le beurre en pommade tout en continuant à fouetter, assaisonner, adjoindre l'ail et l'autre moitié des fines herbes hachées.

Farcir les moules avec ce beurre composé. Réserver au frais. Passer au four très chaud au moment de servir, attention cette opération est très rapide (les jaunes d'œufs colorent).

L'estragon (frais ou conservé au vinaigre) est indispensable dans cette recette.

Huîtres chaudes à l'oseille

20 pièces ✕✕✕ ◯◯◯
Prép. : 50 mn. Cuiss. : 20 min.

20 huîtres « creuses moyennes »
1,5 kg. d'oseille ou d'épinards
120 g. de beurre
5 cl. de crème
40 g. de gros oignons
40 g. de carottes
40 g. d'échalotes
1 bouquet garni
2 œufs
300 g. d'arêtes de poisson
30 g. de farine
2 dl. de vin blanc
Sel, poivre.

Faire le fumet de poisson : suer sans coloration oignons et carottes émincés dans 30 g. de beurre, ajouter les arêtes dégorgées. Mouiller avec 3/4 lit. d'eau, adjoindre le bouquet garni. Cuisson 20 minutes. Passer, réserver.

Laver et équeuter soigneusement l'oseille ou les épinards, ciseler, mettre à cuire dans une petite sauteuse avec 40 g. de beurre et 5 cl. d'eau salée. Cuisson lente 10 à 15 minutes (étuver).

Laver si nécessaire et ouvrir délicatement les huîtres. Les décoller de leur coquille, puis recueillir et filtrer leur eau. Garder les coquilles creuses, rincer, réserver pour la présentation.

Mettre en cuisson les huîtres dans leur eau additionnée du vin blanc et d'échalotes ciselées, monter progressivement à la température voisine de 80° et finir de pocher hors du feu.

Egoutter les huîtres. Ajouter 3 dl. de fumet de poisson à la cuisson d'huîtres, laisser bouillir jusqu'à obtention de 4 dl. Réaliser un roux (30 g. de beurre, 30 g.de farine), verser les 4 dl. de cuisson bouillante sur le roux froid. Laisser cuire ce velouté quelques minutes, ajouter la crème, laisser réduire quelques instants et ajouter hors du feu 40 g. de beurre et 2 jaunes

d'œufs en fouettant. Poivrer légèrement.

Disposer une cuillerée à soupe d'oseille ou d'épinards dans le fond de chaque coquille creuse d'huître. Les mettre sur une plaque allant au four calées dans une couche de gros sel pour les stabiliser. Disposer les huîtres tièdes, napper de sauce, passer au four très chaud (250°, thermostat 6-7) quelques minutes. Les huîtres doivent glacer (légère coloration). Servir très chaud.

CONSEIL

- Surtout les huîtres ne doivent jamais bouillir durant leur cuisson.

- L'eau des huîtres est toujours fortement salée, ne pas ajouter de sel dans la sauce.

- La sauce additionnée de jaunes d'œufs ne doit plus bouillir.

Scampi frits

8 pers. ✕ ⦾⦿⦿
Prép. : 30 mn. Cuiss. : 5 min.

800 g. de queues de langoustines décortiquées (soit 3 kg. de crustacés)
1 dl. d'huile
Persil haché
1 cuillerée à café de thym
2 citrons
250 g. de « base farine » en pâte à frire (p. 163)
Sel, poivre.

Disposer les queues de langoustines décortiquées dans un plat creux. Verser dessus une marinade instantanée (huile, le jus de deux citrons, sel, poivre, fleur de thym, 2 cuillerées de persil haché). Remuer délicatement et laisser mariner quelques minutes.

Enrober chaque langoustine de pâte à frire. Plonger quelques minutes dans un bain de friture très chaud, bien éponger, servir aussitôt, présenter avec des branches de persil et des rondelles de citron cannelé.

Sauces d'accompagnement recommandées :
- sauce marmandaise (page 144),
- sauce portugaise (page 146).

LA CHAPELURE : Utiliser pain rassis ou biscottes. Se conserve sans problème en bocal de verre hermétique. Moins délicate que la panure.
LA PANURE : Mie de pain fraîche finement émiettée, faite avec du pain de mie écroûté légèrement rassis. Elle est utilisée pour la cuisine raffinée, plus onéreuse que la chapelure, elle se garde au frais mais peu longtemps.

Pour paner « à la milanaise » il faut ajouter 1/5ᵉ de parmesan ou de gruyère râpé à la chapelure ou panure.

Goujonnettes de lotte

8 pers. ✕ ⦾⦿⦿
Prép. : 30 mn. Cuiss. : 5 min.

1,2 kg. de lotte
1,5 dl. d'huile
2 citrons
2 cuillerées à soupe de persil haché
1 cuillerée à café de fleur de thym
2 œufs
50 g. de farine
200 g. de panure
50 g. de persil
Sel, poivre.

Tailler la lotte en gros bâtonnets de 8 cm de long environ. Les disposer dans un plat creux. Les remuer délicatement dans une marinade instantanée (persil haché, sel, poivre, fleur de thym, le jus de 2 citrons et 1 dl. d'huile), laisser mariner quelques minutes.

Paner les goujonnettes. Les rouler dans la farine, puis dans l'anglaise (2 œufs entiers battus, 5 cl. d'huile, 5 cl. d'eau, sel et poivre) et enfin dans la panure.

Au dernier moment plonger les goujonnettes de lotte panées, quelques minutes dans un bain d'huile très chaude. Faire frire le persil bien égoutté quelques secondes (il doit rester bien vert), saler.

Sauces d'accompagnement recommandées :
- sauce mexicaine (page 146),
- sauce tartare (page 142).

Beignets de moules

8 pers. ✕ ○
Prép. : 30 mn. Cuiss. : 5 min.

2 kg. de moules de Bouchot
80 g. d'échalotes
2 dl. de vin blanc
2 œufs
50 g. de farine
5 cl. d'huile
200 g. de panure
1 pincée de fleur de thym
70 g. de persil
Sel, poivre
Sauce tartare.

Gratter les moules, bien les laver, les faire ouvrir avec thym, échalote ciselée, vin blanc, persil haché et poivre. Décortiquer et réserver.

Rouler les moules égouttées et refroidies dans la farine, puis dans l'anglaise (2 œufs entiers battus, l'huile, 5 cl. d'eau, sel et poivre) et dans la panure.

Au dernier moment, plonger quelques minutes les moules panées dans un bain d'huile très chaud.

Servir accompagné de persil frit (trempé quelques secondes dans la friture bien chaude pour qu'il reste bien vert) avec de la sauce tartare.

CONSEIL

- Les beignets de moules peuvent également se traiter avec de la pâte à frire légère.
- Afin qu'ils conservent leur chaleur, il est toujours recommandé de présenter les petits aliments frits dans des serviettes pliées.

Mini-brochettes de lotte au curry

16 pièces ✕ ◯◯◯
Prép. : 30 mn. Cuiss. : 5 min.

1,2 kg. de lotte
200 g. de poivrons jaunes, verts et rouges
32 têtes de champignons de Paris (300 g. environ)
60 g. de beurre
1 dl. d'huile d'olive
2 citrons
1 cuillerée à soupe de persil haché
1 feuille de laurier pulvérisé
1 cuillerée à café de fleur de thym
1 cuillerée à café de curry
Sel, poivre.

Préparer la lotte, détailler en 50 cubes d'environ 2 cm de côté.

Laver les têtes de champignons, les faire sauter vivement à la poêle dans 20 g. de beurre. Ne pas trop les cuire.

Couper les poivrons, les passer 5 à 10 minutes au four chaud afin de pouvoir retirer la peau. Les détailler en carrés de 2 cm de côté.

Embrocher une tête de champignon, 3 cubes de lotte en intercalant les poivrons et terminer par une tête de champignon.

Préparer une marinade instantanée : huile d'olive, fleur de thym, persil, laurier, 2 jus de citron, curry, assaisonner. Remuer délicatement les brochettes dans cette marinade.

Au dernier moment passer les brochettes bien égouttées à la poêle dans 40 g. de beurre.

Accompagnement proposé : Sauces verte, mexicaine (pages 142 et 146).

Ces brochettes peuvent se préparer nature (sans curry) ou avec du safran, la rouille (page 144) s'impose alors comme sauce d'accompagnement.

Sauces verte, mexicaine (pages 142 et 146).

CONSEIL

Les marinades à base de vin rouge pour viandes et gibiers ont pour but d'attendrir les chairs, de les conserver et de les parfumer. Par contre les marinades instantanées sont destinées uniquement à parfumer rapidement et au dernier moment les aliments, les poissons principalement.

Mini-brochettes de moules

16 pièces   ✕ ○
Prép. : 40 mn. Cuiss. : 5 min.

4 kg. de moules d'Espagne
80 g. d'échalotes
1 dl. de vin blanc
32 têtes de champignons de Paris
(350 g. environ)
180 g. de beurre
1 dl. d'huile d'olive
2 citrons
1 cuillerée à soupe de persil haché
50 g. de farine
200 g. de panure
1 feuille de laurier pulvérisé
1 cuillerée à café de fleur de thym
16 petites brochettes en bois
Sel, poivre.

Gratter, nettoyer et laver soigneusement les moules.

Réunir dans une casserole moules, vin blanc, et échalote ciselée, poivrer. Cuire en plein feu 5 à 6 minutes. Remuer le récipient en cours de cuisson. Une fois ouvertes, égoutter et décortiquer les moules.

Laver les têtes de champignons, les faire sauter vivement à la poêle dans 40 g. de beurre. Ne pas trop les cuire. Embrocher une tête de champignon, 6 à 8 moules environ et terminer avec une autre tête de champignon.

Préparer une marinade « instantanée » : huile d'olive, fleur de thym, persil, laurier, 2 jus de citron, assaisonner. Remuer délicatement les brochettes dans cette marinade.

Paner les brochettes égouttées. Les rouler dans la farine, puis dans 100 g. de beurre fondu et enfin dans la panure. Réserver au frais.

Au dernier moment les passer à la poêle dans 40 g. de beurre.

CONSEIL

Pour paner, le principe de remplacer l'anglaise (œufs battus, huile, sel, et poivre) par du beurre fondu (technique plus difficile) a pour but d'apporter une plus grande délicatesse aux mets.

Accompagnement proposé :
- sauce tartare (page 142),

Attelets de coquilles Saint-Jacques

20 pièces   ✗ ✗   ∞
Prép. : 30 mn. Cuiss. : 5 min.

20 belles coquilles Saint-Jacques
décortiquées (800 g. environ)
avec corail, fraîches ou surgelées
1 dl. d'huile d'olive
1 citron
2 cuillerées à potage de cerfeuil et
persil hachés
1 pincée de fleur de thym
20 têtes de champignons de Paris
moyennes et bien rondes
50 g. de beurre
100 g. de poivron rouge
200 g. de poitrine fumée en fines
tranches
Sel, poivre
20 piques en bois.

Disposer les Saint-Jacques dans un plat creux. Les remuer délicate-ment dans une marinade instanta-née (huile, jus de citron, thym, fines herbes, sel et poivre).

Griller les poivrons au four, les peler, les égrainer, les détailler en 20 petits carrés.

Cuire les têtes de champignons à la poêle dans le beurre.

Détailler la poitrine fumée en 20 lamelles de 2 cm de longueur, sau-ter rapidement à l'huile, égoutter.

Cuire à la poêle ou griller les Saint-Jacques avec l'huile de ma-cération à feu pas trop vif.

Enfiler sur chaque pique une coquille Saint-Jacques, une la-melle de poitrine fumée, un cham-pignon, finir avec un carré de poivron. Disposer dans un plat creux, arroser du restant de mari-nade. Passer à four chaud au dernier moment quelques minutes.

Coquilles Saint-Jacques en feuilletés à la julienne de légumes

20 pièces   ✕✕✕ ⦾⦾⦾
Prép. : 1 h 30 mn. Cuiss. : 30 min.

450 g. de pâte feuilletée (soit
200 g. environ de « base farine »)
1 œuf dorure
20 coquilles Saint-Jacques
décortiquées (800 g. environ)
avec corail, fraîches ou surgelées
150 g. de carottes
50 g. de gros oignons
30 g. d'échalotes
1 bouquet garni
140 g. de beurre
400 g. d'arêtes de poisson
2 dl. de vin blanc
30 g. de farine
5 cl. de crème fraîche
100 g. de blancs de poireaux
100 g. de céleri (branche ou rave)
Sel, poivre.

Abaisser la pâte, détailler 40 « ronds » (unis ou cannelés) de 6 cm de diamètre, en disposer 20 sur une plaque à pâtisserie légèrement humide, passer la dorure. Surmonter d'une couronne de feuilletage de 6 cm de diamètre extérieur et 4 cm de diamètre intérieur, passer de nouveau de la dorure. Cuire au four (250º, thermostat 8-9) 5 minutes environ, terminer la cuisson (200º thermostat 6-7) 15 minutes environ.

Faire le fumet de poisson : suer sans coloration 50 g. de carottes et l'oignon émincés dans 40 g. de beurre, ajouter les arêtes dégorgées. Mouiller avec 3/4 lit. d'eau, adjoindre le bouquet garni. Cuisson 20 minutes. Passer, réserver.

Tailler en fine julienne assez « courte » les blancs de poireaux, 100 g. de carottes et le céleri. Blanchir, rafraîchir et égoutter. Mettre dans une petite casserole avec 30 g. de beurre, 5 cl. d'eau, assaisonner. Laisser cuire doucement à couvert (étuver) pendant

10 minutes environ, garder la julienne « croquante ». Réserver.

Réunir dans une casserole les coquilles, le vin blanc, le fumet refroidi et l'échalote ciselée, assaisonner. Amener progressivement à une température voisine de 80º et laisser étuver hors du feu.

Egoutter les coquilles. Faire réduire la cuisson, si nécessaire, jusqu'à l'obtention de 4 dl. Réaliser un roux (30 g. de beurre, 30 g. de farine). Verser 4 dl. de cuisson bouillante sur le roux refroidi. Laisser cuire ce velouté quelques minutes, ajouter la crème, laisser réduire quelques instants et ajouter hors du feu 40 g. de beurre en fouettant, ainsi que les 3/4 de la julienne.

Retirer « le chapeau » de chaque bouchée. Dans chacune mettre un peu de sauce, une coquille (corail apparent), napper de sauce. Décorer le dessus de julienne. Passer quelques minutes au four avant de servir.

Caillettes dauphinoises « réduction »

20 pièces   ✗   ○
Prép. : 45 mn. Cuiss. : 15 min.

500 g. d'épinards
100 g. de foie de porc
200 g. d'échine de porc sans os
100 g. de poitrine salée
150 g. de crépine
5 cl. d'huile (ou saindoux)
Sel, poivre et muscade
20 piques en bois.

Equeuter et laver les épinards.
Les cuire à l'eau bouillante salée, rafraîchir, égoutter, presser et hacher.

Hacher également foie, échine, poitrine salée, mélanger le tout avec les épinards, assaisonner.

Partager en 20 parties égales, entourer chaque boule d'un petit morceau de crépine, aplatir légèrement.

Ranger les caillettes dans un plat creux huilé, cuire à four doux (180°, thermostat 6) pendant 10 à 15 minutes, arroser régulièrement durant la cuisson. Se servent indifféremment chaudes ou froides. Présenter avec piques en bois.

« Briochines » de ris de veau

16 pièces   ✗✗✗   ○○○
Prép. : 1 h 30 mn. Cuiss. : 40 min.

Pâte à brioche (p. 164) avec
320 g. environ de « base farine »
800 g. de ris de veau frais ou surgelé
1 œuf (dorure)
60 g. de farine
80 g. de beurre
50 g. de carottes
50 g. de gros oignons
150 g. de tomates fraîches
2 gousses d'ail

1 bouquet garni
2 dl. de vin blanc
3 dl. de crème fraîche
150 g. de champignons de Paris
1 demi-citron
Sel fin, poivre.

Préparer la pâte à brioche.

Dégorger les ris de veau à l'eau froide. Les blanchir quelques minutes, rafraîchir, égoutter. Eliminer les parties cartilagineuses. Mettre « sous presse » (entre deux assiettes) au frais la veille de préférence.

Préparer les petites brioches. Rompre la pâte, partager en 16 parties égales, en faire des boules. Les disposer dans les moules ronds beurrés, passer la dorure. Laisser pousser à température ambiante 30 minutes environ. Cuire au four (250°, thermostat 8-9) 10 minu-tes, finir la cuisson à four doux 10 minutes environ.

Assaisonner les ris de veau, fariner, laisser à peine colorer au beurre (30 g.) en sauteuse. Cuire 15 minutes au four. Ajouter carottes et oignons taillés finement. Cuire à nouveau 15 minutes au four. Dégraisser, ajouter le vin blanc, les tomates coupées en quartiers, l'ail et le bouquet garni. Cuire à couvert au four 20 à 30 minutes pour finir.

Eplucher, laver et couper en quartiers les champignons, cuire rapidement avec le jus de citron, un peu d'eau, 20 g. de beurre et du sel.

Retirer les ris de veau. Faire bouillir les jus de cuisson de ris de veau et de champignons, ajouter la crème fraîche, laisser bouillir, lier au beurre manié (30 g. de beurre en pommade et 30 g. de farine mélangés à froid). Ajouter ce beurre manié progressivement afin d'obtenir le degré de liaison désiré. Passer la sauce.

Couper les ris de veau en dés, mélanger avec les champignons et la sauce.

« Couper un chapeau » à chaque petite brioche. Evider soigneusement à l'aide d'un petit couteau.

Au moment de servir les passer au four, les remplir de mélange bouillant : ris, champignons et sauce. Couvrir avec les « chapeaux ».

CONSEIL

Les ris de veau congelés se décongèlent en 1 heure dans l'eau froide.

Mini-paupiettes de poulet au chou vert

20 pièces   ✕✕   ∞
Prép. : 1 h.   Cuiss. : 20 min.

1,6 kg. de cuisses de poulet
10 à 20 grandes feuilles de chou
bien vert
100 g. de beurre
50 g. d'oignons
50 g. de carottes
2 lit. de bouillon (de volaille de
préférence)
200 g. d'échine de porc
100 g. de poitrine de porc salée
1 œuf
2 cuillerées à potage de fines
herbes hachées
1 cuillerée à potage d'échalotes
ciselées
3 cl. de madère
Sel, poivre
20 piques en bois.

Désosser et tailler les cuisses de poulet en gros bâtonnets de 60 g. (5 à 6 cm de long). Les assaisonner et les faire revenir vivement à la poêle dans 50 g. de beurre. Egoutter, réserver au frais.

Bien éliminer toutes les grosses côtes des feuilles de chou. Les faire blanchir fortement 1 minute, rafraîchir, égoutter et éponger.

Hacher finement échine et poitrine de porc, ajouter madère, fines herbes, œuf entier et échalotes. Mélanger, assaisonner.

Etaler et tartiner les feuilles de chou d'une mince couche de farce, poser un bâtonnet de poulet, rouler et ficeler les paupiettes.

Faire revenir carottes et oignons émincés dans un plat avec 50 g. de beurre. Disposer les paupiettes, mouiller avec le bouillon chaud. Couvrir d'un papier aluminium, cuire au four (200°, thermostat 6-7) 20 minutes.

Après cuisson égoutter les paupiettes, retirer la ficelle, mettre les piques en bois. Présenter chaud, sans bouillon, accompagné de l'une des sauces chaudes p. 146.

Les feuilles de chou choisies doivent être bien vertes. La farce doit adhérer correctement aux feuilles de chou. Rouler délicatement les « bâtonnets » de volaille. « Serrer » les paupiettes, parer éventuellement, ficeler.

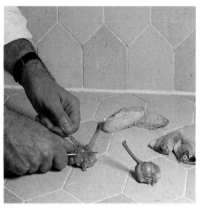

Trousser les ailerons de volaille en ramenant la chair à une extrémité. Eliminer l'os le plus petit.

Paner un aliment enrobé de sauce s'appelle « paner à la Villeroy ». Ce procédé, amène une délicatesse supérieure aux mets frits et évite de servir une sauce à part.

Ailerons de poulet au curry

16 pièces ✕✕ ○
Prép. : 45 mn. Cuiss. : 5 min.

16 ailerons de volaille
2 dl. de sauce curry (voir page 138)
200 g. de chapelure ou panure
2 œufs
50 g. de farine
5 cl. d'huile
Sel, poivre.

Trousser les ailerons de volaille.
Blanchir les ailerons troussés 5 minutes à l'eau bouillante, rafraî-chir, égoutter.

Faire réduire la sauce curry, pour qu'elle soit assez épaisse, la laisser tiédir. A consistance voulue (la sauce s'épaississant en refroidissant), enrober les ailerons de cette sauce. Réserver au frais. Renouveler cette opération plusieurs fois si nécessaire.

Paner à l'anglaise, rouler dans la farine, puis dans l'anglaise (œufs battus entiers, huile, 5 cl. d'eau, sel et poivre) et enfin dans la chapelure ou panure.

Plonger quelques minutes, au dernier moment, dans un bain d'huile très chaude.

Mini-tartelettes aux fruits

20 pièces ✕✕ ⚭
Prép. : 50 mn. Cuiss. : 15 min.

300 g. de « base farine » en pâte brisée sucrée (p. 163).
Crème pâtissière :
1/2 lit. de lait vanillé
4 jaunes d'œufs
50 g. de farine
100 g. de sucre
3 cl. de kirsch ou rhum.
Finition :
800 g. de fruits au sirop égouttés (quetsches, cerises, ananas, pêches, poires, etc.) ou 800 g. de fruits frais (framboises, fraises, fraises des bois, kiwis)
200 g. de confiture d'abricots ou de gelée de groseille (selon la couleur des fruits employés).

Faire la pâte brisée, la laisser reposer au frais. Foncer 20 petits moules « creux » de 7 cm de diamètre, piquer légèrement la pâte avec une fourchette, disposer un papier aluminium sur la pâte. Cuire « à blanc » 15 minutes environ à four chaud (200°, thermostat 6-7), retirer le papier aluminium 5 minutes avant la fin de cuisson.

Verser le lait bouillant vanillé sur le mélange jaunes d'œufs, sucre, farine, amener à ébullition pour quelques secondes. Parfumer au kirsch ou au rhum selon les fruits utilisés (fraises et cerises : kirsch ; poires et kiwis : rhum) et selon votre goût.

Etaler la crème pâtissière dans chaque fond de tartelette cuit à blanc. Disposer les fruits, napper avec la confiture d'abricots ou la gelée de groseille tiédie légèrement détendue à l'eau.

Petits clafoutis

20 pièces ✕ ◯
Prép. : 25 mn. Cuiss. : 20 min.

200 g. de farine
150 g. de sucre
4 œufs
1/2 lit. de lait
1 pincée de sel
30 g. de beurre
500 à 600 g. de cerises dénoyautées fraîches ou en conserve (industrielle ou ménagère)
2 cl. de kirsch.

Travailler ensemble dans une terrine la farine tamisée, le sucre, les œufs entiers, le lait et le sel. La pâte obtenue doit être légère, ajouter le kirsch.

Beurrer grassement 20 petits moules « creux » de 6 cm de diamètre. Verser la pâte. Poser sur un feu doux. Dès que le fond de la pâte commence à « durcir » disposer les cerises dénoyautées dans la partie restant « molle ».

Mettre à four doux (180°, thermostat 5-6) pendant 20 minutes environ. Quand la pâte prend couleur le clafoutis est prêt. Démouler et laisser refroidir.

Barquettes aux noix

20 pièces ✕✕ ⚭
Prép. : 35 mn. Cuiss. : 20 min.

200 g. de « base farine » en pâte brisée sucrée. (p. 163)
Garniture :
100 g. de cerneaux de noix
3 dl. de crème fraîche
120 g. de sucre semoule
2 œufs entiers
L'intérieur d'une demi-gousse de vanille.
Glaçage et décor :
100 g. de sucre glace
3 cuillerées de rhum
Une dizaine de cerneaux de noix.

Préparer la pâte brisée, la laisser reposer au frais, foncer 20 « moules barquettes » de 7 cm de long, piquer légèrement la pâte.

Mixer les noix et mélanger tous les éléments de la « garniture ».

Verser sur la pâte et cuire à four chaud (thermostat 8) pendant 20 minutes environ.

Laisser refroidir 10 minutes, délayer le sucre glace et le rhum, étaler sur les barquettes. Disposer un cerneau de noix sur chacune.

Tartelettes au citron

10 pièces   ✕ ○
Prép. : 35 mn. Cuiss. : 25 min.

*150 g. de « base farine » en pâte
brisée sucrée (p. 163)
2 œufs entiers
120 g. de sucre
2 citrons
40 g. de beurre fondu.*

Réaliser la pâte brisée, la laisser reposer au frais. Foncer 10 petits moules « creux » de 7 cm de diamètre, piquer légèrement la pâte avec une fourchette, disposer un papier aluminium sur la pâte, la faire cuire « à blanc » 15 minutes environ à four chaud (200°, thermostat 6-7), retirer le papier aluminium 5 minutes avant la fin de cuisson.

Bien fouetter œufs entiers et sucre afin d'obtenir un mélange bien mousseux. Ajouter le zeste des citrons râpé très fin (utiliser une râpe à fromage) et le jus des mêmes citrons, adjoindre le beurre en pommade, bien mélanger.

Emplir de ce mélange les tartelettes « cuites à blanc », repasser à four tiède (160°, thermostat 5) pendant 10 minutes environ (légère coloration).

Décorer éventuellement avec quelques tranches de citron pelé à vif, lustrer ces tartelettes à la confiture d'abricots.

Petites tartes à l'orange

20 pièces   ✕ ○
Prép. : 50 mn. Cuiss. : 20 min.

*300 g. de « base farine » en pâte
brisée sucrée (p. 163).
Crème pâtissière :
1/2 lit. de lait vanillé
4 jaunes d'œufs
50 g. de farine
100 g. de sucre
3 cl. de grand marnier
Zeste d'une orange.
Finition :
3 petites oranges
100 g. de sucre semoule
200 g. de confiture d'abricots.*

Réaliser la pâte brisée, la laisser reposer au frais. Foncer 20 petits moules « creux » de 7 cm de diamètre, piquer légèrement la pâte avec une fourchette.

Lever le zeste d'une orange, le tailler en julienne, faire blanchir. Verser le lait bouillant vanillé sur le mélange jaunes d'œufs, sucre, farine, amener à ébullition pour quelques secondes. Parfumer au grand marnier, ajouter la julienne de zeste d'orange, remuer.

Canneler soigneusement les 3 petites oranges, les tailler en tranches fines. Faire bouillir 1 dl. d'eau avec les 100 g. de sucre semoule, passer quelques minutes chaque tranche d'orange cannelée dans ce sirop bouillant afin de les confire légèrement.

Etaler de la crème pâtissière dans chaque tartelette. Lisser à la spatule métallique. Disposer une tranche d'orange cannelée confite. Cuire à four chaud (180°, thermostat 6-7) pendant 15 à 20 minutes.

Napper avec la confiture d'abricots tiédie légèrement détendue à l'eau.

Barquettes à la ganache

20 pièces   ✕ ○○
Prép. : 35 mn. Cuiss. : 15 min.

*200 g. de « base farine » en pâte
brisée sucrée (p. 163)
500 g. de chocolat couverture
3 dl. de lait
1 dl. de crème
125 g. de beurre
3 cl. de rhum.*

Réaliser la pâte brisée, la laisser reposer au frais. Foncer des « moules barquettes » de 7 cm de long, piquer légèrement la pâte avec une fourchette, disposer un papier aluminium sur la pâte, cuire « à blanc » 15 minutes à four chaud (200°, thermostat 6-7), retirer le papier aluminium 5 minutes avant la fin de la cuisson.

Faire bouillir lait et crème séparément, puis mélanger, ajouter le chocolat coupé en morceaux, remuer énergiquement, adjoindre le beurre en pommade, bien « lisser ». Aromatiser au rhum.

Disposer à l'aide d'une poche munie d'une petite douille cannelée cette « ganache » dans les barquettes cuites à blanc, ou garnir les barquettes en dôme à la spatule.

Décorer éventuellement avec raisins secs et amandes effilées.

Assortiment de petites bavaroises

24 pièces ✗✗✗ ∞
Prép. : 1 h. Cuiss. : 15 min.

Eléments de base pour
l'ensemble :
350 g. de « base farine » en pâte
brisée sucrée (p. 163).
Bavarois :
1/2 lit. de lait
5 jaunes d'œufs
125 g. de sucre semoule
6 feuilles de gélatine (10 g.
environ)
1/4 lit. de crème fraîche.

Réaliser la pâte brisée, la laisser reposer au frais. Foncer 24 petits moules « creux » de 7 cm de diamètre, piquer légèrement la pâte avec une fourchette, disposer un papier aluminium sur la pâte, faire cuire « à blanc » 15 minutes environ à four chaud (thermostat 8), et le retirer 5 minutes avant la fin de la cuisson.

Appareil à bavarois : mettre la gélatine à tremper dans de l'eau froide. Mélanger les jaunes d'œufs avec le sucre jusqu'à ce que le mélange blanchisse, y verser le lait bouillant, chauffer progressivement sans faire bouillir en remuant avec une spatule en bois, la crème doit malgré tout « épaissir ». Egoutter, presser et adjoindre les feuilles de gélatine. Passer éventuellement, laisser refroidir sans « prendre ». Monter la crème fraîche. Mélanger délicatement la crème anglaise collée et la crème montée, sans fouetter, mais en « coupant » avec une spatule en bois. Le séparer en quatre, parfumer et garnir rapidement les tartelettes.

Bavaroises au café

6 tartelettes cuites « à blanc »
1/4 du bavarois
Quelques gouttes d'extrait de café
6 grains de café liqueur
5 cl. de crème chantilly.

Parfumer le bavarois avec l'extrait de café, remplir les tartelettes, lisser avec une spatule, décorer avec un « pompon » de crème chantilly surmonté d'un grain de café liqueur.

Bavaroises chartreuse

6 tartelettes cuites « à blanc »
1/4 du bavarois
Quelques gouttes de chartreuse verte
5 cl. de crème chantilly.

Parfumer le bavarois avec la chartreuse verte, remplir les tartelettes, lisser avec la spatule, décorer avec un « pompon » de crème chantilly.

Bavaroises aux framboises ou aux fraises des bois

6 tartelettes cuites « à blanc »
1/4 du bavarois
Quelques gouttes de kirsch (ou alcool de framboise)
100 g. de framboises ou de fraises des bois
5 cl. de crème chantilly.

Parfumer le bavarois avec le kirsch. Remplir les tartelettes, lisser à la spatule, décorer avec des fraises des bois ou des framboises (3 à 5 par pièce). Napper les fruits avec de la gelée de fruits détendue à l'eau. Garnir de « touches » de crème chantilly.

Bavaroises à l'orange

6 tartelettes cuites « à blanc »
1/4 du bavarois
2 cl. de grand marnier
1 orange
3 cerises confites.

Râper finement le zeste de l'orange, l'ajouter au bavarois, parfumer avec du grand marnier. Remplir les tartelettes, lisser à la spatule, décorer avec des quartiers d'orange pelée à vif et des cerises confites.

Noix de coco et banane

20 pièces ✗ ○
Prép. : 35 mn. Cuiss. : 20 min.

300 g. de « base farine » en pâte brisée sucrée (p. 163)
100 g. de noix de coco en poudre
6 bananes
5 cl. de rhum
50 g. de sucre semoule
200 g. de confiture d'abricots.

Réaliser la pâte brisée, la laisser reposer au frais. Foncer 20 petits moules « creux » de 7 cm de diamètre, piquer légèrement la pâte avec une fourchette.

Parsemer le fond de chaque tartelette avec la noix de coco en poudre. Disposer des rondelles de banane en rosace. Arroser légèrement avec le rhum. Saupoudrer de sucre semoule.

Cuire à four chaud (180°, thermostat 6-7) pendant 15 à 20 minutes.

Napper avec la confiture d'abricots tiédie légèrement détendue à l'eau.

Pets de nonne

30 à 40 pièces   ✗ ○
Prép. : 20 mn. Cuiss. : 5 min.

1/4 lit. de pâte à choux (p. 164)
40 g. de sucre glace
3 cl. de grand marnier ou liqueur
de votre choix.

Réaliser la pâte à choux en l'aromatisant avec la liqueur.

Laisser tomber des boules de pâte à choux de la grosseur d'un œuf de pigeon dans un bain d'huile chaud. Dès qu'ils ont gonflés ces beignets se retournent d'eux-mêmes.

Quand ils sont dorés, les égoutter et saupoudrer de sucre glace.

Beignets de bananes

50 à 60 pièces   ✗ ○
Prép. : 25 mn. Cuiss. : 5 min.

6 bananes mûres mais fermes
5 cl. de rhum
2 œufs
50 g. de farine
5 cl. d'huile
200 g. de panure
50 g. de sucre semoule.

Eplucher et tailler les bananes en tranches « bisotées » (5 mm d'épaisseur environ). Les disposer dans un plat avec sucre semoule et rhum. Retourner les tranches pour bien les imprégner.

Paner les tranches de bananes égouttées : les rouler dans la farine, puis dans l'anglaise (œufs entiers battus, huile, un peu d'eau) et enfin dans la panure.

Plonger quelques minutes dans un bain d'huile très chaud.

Beignets de pommes

25 à 30 pièces   ✗ ○
Prép. : 45 mn. Cuiss. : 5 min.

1 kg. de pommes
1 citron
80 g. de sucre semoule
1 pincée de cannelle
5 cl. de calvados
40 g. de sucre glace
Pâte à frire (p. 163).

Eplucher, évider et citronner les pommes. Couper en tranches régulières de 1 cm d'épaisseur (ou demi-tranches). Les disposer dans un plat avec cannelle, sucre semoule et calvados. Retourner les tranches pour bien les imprégner. Réserver au frais.

Egoutter soigneusement les tranches de pommes. Les tremper dans la pâte à frire et les plonger dans un bain de friture chaud. Egoutter, saupoudrer de sucre glace. Eventuellement les « glacer » dans un four très chaud (position « gril »).

CONSEIL

- Ces petits beignets s'accompagnent obligatoirement de sauces sucrées froides ou chaudes (p. 148).

- Si les fruits ont « macéré » dans l'alcool avant cuisson, le « liquide » recueilli peut être ajouté dans la sauce d'accompagnement.

- Accroître la chaleur du bain de friture après avoir mis les beignets, car c'est du fait de la déperdition de chaleur de la friture à ce moment-là que les beignets pourraient s'imprégner d'huile.

Beignets de pruneaux briochés

20 pièces ✗✗ ∞
Prép. : 30 mn. Cuiss. : 5 min.

20 pruneaux
3 cl. de cognac
30 g. de sucre semoule
200 g. de « base farine » en pâte
à brioche (p. 164)
1 œuf (dorure).

Faire la pâte à brioche.

Dénoyauter les pruneaux, les mettre à macérer dans le cognac et le sucre semoule.

Rompre la pâte à brioche, l'étendre au rouleau (3 mm d'épaisseur). Détailler des petits rectangles (7 cm × 4 cm environ), badigeonner avec la dorure, disposer les pruneaux égouttés, rabattre la pâte, « rouler dans les mains » pour former les beignets, les « marquer » avec le dos d'une fourchette.

Laisser pousser à température ambiante 15 minutes environ sur une plaque farinée.

Plonger quelques minutes dans un bain d'huile très chaud.

Fraises « surprise »

20 pièces ✗ ∞
Prép. : 15 mn.

20 belles fraises mûres
5 cl. de kirsch
100 g. de fondant blanc
50 g. de sucre glace.

Laver les fraises sans les équeuter, les faire macérer dans le kirsch.

Chauffer doucement le fondant dans une petite casserole jusqu'à 35°C environ (température de la langue), le détendre avec un peu d'eau si nécessaire.

Prendre chaque fraise délicatement par la queue et l'enrober aux 3/4 de fondant, supprimer l'excédent de fondant avec le doigt. Saupoudrer un plat de sucre glace, disposer les fraises enrobées.

Petits chaussons finlandais à la marmelade de prunes

20 pièces ✗✗ ○
Prép. : 45 mn. Cuiss. : 5 min.

200 g. de « base farine » en pâte
feuilletée (p. 163)
400 g. de prunes (reines-claudes
de préférence)
200 g. de sucre semoule
40 g. de sucre glace.

Réaliser une pâte feuilletée ou utiliser pour cette recette des « parures » de pâte feuilletée.

Laver, et partager les prunes en deux en éliminant le noyau, les mettre à cuire dans une casserole avec le sucre jusqu'à l'obtention d'une marmelade assez consistante, remuer régulièrement à la spatule en bois. Réserver au frais.

Abaisser la pâte feuilletée (épaisseur 3 mm environ). Découper des ronds de 6 à 7 cm de diamètre à l'aide d'un emporte-pièce. Humecter légèrement les bords, garnir d'un côté d'une cuillerée de marmelade de prunes, rabattre l'autre côté par-dessus de manière à avoir des demi-lunes. Bien appuyer sur les bords pour les souder. Faire quelques petites encoches sur chaque beignet.

Plonger quelques minutes les beignets dans un bain de friture très chaud, saupoudrer de sucre glace dès la fin de la cuisson.

Orangettes

30 à 40 pièces
Prép. : 20 mn.

150 g. d'écorces confites d'orange
200 g. de chocolat couverture
5 cl. de rhum.

Découper les écorces en lanières. Mettre à macérer au rhum, égoutter, réserver au frais.

Mettre les morceaux de chocolat à fondre au bain-marie avec 3 cl. d'eau, bien lisser le mélange qui doit rester tiède à la spatule.

Enrober chaque lanière d'écorce d'orange de chocolat fondu en les plongeant dans le mélange, les sortir rapidement à l'aide d'une fourchette, les déposer sur une grille ou un plat huilé au frais.

Décoller les « orangettes » quand elles sont bien refroidies.

« Truffettes » au chocolat

50 à 60 pièces
Prép. : 25 mn.

125 g. de chocolat
150 g. de beurre
150 g. de sucre glace
2 jaunes d'œufs
40 g. de cacao
Quelques gouttes de rhum
120 g. de paillettes au chocolat.

Mettre à fondre les morceaux de chocolat au bain-marie avec 3 cl. d'eau. Ajouter hors du feu le beurre ramolli, les jaunes, le sucre glace, le cacao et le rhum, bien travailler le mélange. Laisser raffermir au réfrigérateur 1 heure environ.

Détailler à la main ou à l'aide d'une cuillère des boules régulières, les enrober de paillettes de chocolat. Remettre au froid.

Fruits déguisés

30 pièces
Prép. : 30 mn.

10 pruneaux (soit 150 g. environ)
10 dattes (soit 150 g. environ)
20 cerneaux de noix (soit 50 g.)
300 g. de pâte d'amandes colorée et aromatisée selon le goût.

Retirer les noyaux des dattes et des pruneaux.

Faire de petites boules de pâte d'amandes qui serviront soit à farcir dattes et pruneaux (la pâte doit rester apparente), soit à réunir deux cerneaux ensemble afin de « reformer » la noix.

Une fois terminés, ces « fruits déguisés » peuvent être soit gardés tels quels, soit enrobés de sucre semoule ou mieux encore de sucre cuit (caramel très blond), dans ce dernier cas cette opération doit se faire peu de temps avant la présentation pour éviter le ramollissement de l'enveloppe de sucre cuit.

Langues de chat et « palets » aux raisins

120 pièces environ ✕ ○
Prép. : 25 mn. Cuiss. : 10 min.

100 g. de beurre
200 g. de sucre semoule
4 blancs d'œufs
140 g. de farine
50 g. de raisins secs
2 cuillerées de rhum.

Mettre les raisins secs à macérer avec le rhum.

Ramollir le beurre, y ajouter le sucre, bien travailler, puis y joindre peu à peu et toujours en travaillant le mélange, les blancs d'œufs, ajouter alors la farine.

Coucher sur plaques légèrement beurrées et farinées, à l'aide d'une poche et d'une petite douille unie, les langues de chat (bâtonnets de 4 à 5 cm de longueur) et les « palets » aux raisins (petits « dômes » ronds de pâte surmontés de 3 à 4 raisins secs macérés au rhum).

Langues et « palets » doivent être assez espacés les uns des autres car ils s'étalent à la cuisson. Cuire à four doux 150° (thermostat 4-5) 8 à 10 minutes environ, bien surveiller la cuisson qui est très rapide.

Tuiles aux noix

20 pièces environ ✕ ∞
Prép. : 20 mn. Cuiss. : 5 à 10 min.

125 g. de sucre en poudre
3 blancs d'œufs
1 œuf entier
25 g. de farine
150 g. de cerneaux de noix émincés
Quelques gouttes d'extrait de vanille.

Mélanger intimement tous les éléments dans un saladier à l'aide d'une spatule en bois.

Beurrer une plaque à pâtisserie ou tourtière, puis la fariner, enlever l'excédent de farine en secouant bien la plaque.

Disposer des petites boules du mélange obtenu de la valeur d'une cuillère à entremets, en les espaçant les unes des autres. Aplatir le plus possible chaque boule avec une fourchette humide. Cuire à four doux (150°, thermostat 5). Surveiller attentivement la cuisson, dès la sortie du four les disposer sur un rouleau à pâtisserie, afin de leur donner une forme arrondie.

Petits financiers

30 pièces ✕ ○
Prép. : 20 mn. Cuiss. : 10 min.

300 g. de sucre
100 g. de farine
100 g. de poudre d'amandes
1 g. de sel
4 blancs d'œufs
130 g. de beurre.

Faire fondre le beurre.

Disposer dans un grand saladier le sucre, la farine tamisée, la poudre d'amandes, une pincée de sel et les blancs d'œufs. Bien mélanger au fouet (sans faire mousser). Incorporer 80 g. de beurre fondu mais pas trop chaud.

Beurrer soigneusement des petits moules bas (de n'importe quelle forme).

Remplir les moules avec la pâte jusqu'à 1 ou 2 mm du bord.

Cuire à four chaud (200°, thermostat 6-7) pendant une dizaine de minutes. Démouler dès la sortie du four. Conserver les petits financiers dans une boîte en fer dès qu'ils sont froids.

Recettes pour Lunchs

Lors d'un lunch de réception, outre les petites pièces individuelles dites « cocktail », le buffet peut être garni de plats cuisinés le plus souvent froids mais parfois chauds.

Les convives se servent alors eux-mêmes dans des assiettes.

Gaspacho andalou

8 pers. ✕ ○
Prép. : 40 mn.

250 g. de mie de pain
50 g. d'oignon
3 à 5 cl. de vinaigre de vin
3 gousses d'ail
100 g. de poivrons rouge, vert et
jaune
250 g. de concombre
800 g. de tomates
1 dl. d'huile d'olive
6 graines de cumin
Sel, poivre.

Ciseler finement l'oignon, le laisser macérer 30 minutes avec le vinaigre.

Monder les tomates, couper en deux, épépiner, tailler le quart en petits dés, réserver le reste.

Faire ramollir le pain dans l'eau, puis l'essorer.

Mixer ensemble le pain trempé et essoré, l'oignon macéré, le cumin, les tomates pelées (sauf les petits dés), l'ail et l'huile d'olive. Incorporer 1 lit. environ d'eau glacée (selon consistance), saler, poivrer, réserver au frais.

Couper les poivrons, les passer 5 à 10 minutes au four chaud afin de pouvoir retirer la peau. Détailler en petits dés.

Eplucher et épépiner le concombre, laisser dégorger 30 minutes dans une passoire au gros sel, couper en petits dés.

Ajouter au potage dés de tomates, de poivrons et de concombre.

CONSEIL

- Si le potage n'est pas assez fluide, ajouter de l'eau glacée.

- Cette recette de gaspacho en est une parmi beaucoup d'autres.

- Certains présentent à part des petits croûtons de pain de mie frits.

Billy by rafraîchi

8 pers. ✕✕ ∞
Prép. : 50 mn. Cuiss. : 20 mn.

2 kg. de moules de bouchot
10 cl. de vin blanc
100 g. d'échalotes
2 branches de céleri
500 g. d'arêtes de poisson
80 g. de beurre
80 g. de carottes
80 g. d'oignons
3 dl. de crème fraîche
6 jaunes d'œufs
1 bouquet garni
1 cuillerée à soupe de persil et
cerfeuil hachés
1 pincée de fleur de thym
Poivre.

Faire le fumet de poisson : suer sans coloration carottes et oignons émincés dans 40 g. de beurre. Mouiller avec 1,5 lit. d'eau, ajouter le bouquet garni. Cuire 20 minutes, passer, réserver.

Gratter, nettoyer et laver les moules.

Réunir dans une casserole les moules, 50 g. de beurre, l'échalote ciselée, le vin blanc, la fleur de thym et le céleri branche, poivrer. Cuire à feu vif et à couvert 5 à 6 minutes. Remuer le récipient en cours de cuisson.

Retirer les moules, les décortiquer, les réserver.

Laisser « reposer » la cuisson de moules.

Verser cette cuisson doucement dans le fumet (s'arrêter quand le dépôt sablonneux apparaît). Faire bouillir.

Verser sur le mélange crème, jaunes d'œufs en fouettant.

Remettre le tout en cuisson à feu doux, laisser épaissir en remuant constamment à la spatule en bois. A consistance voulue, retirer du feu et laisser refroidir en remuant régulièrement.

Présenter en soupière. Disposer sur le dessus quelques moules décortiquées. Parsemer de cerfeuil et de persil hachés.

CONSEIL

- Ce potage ne doit jamais bouillir.

- Les moules décortiquées restantes seront réservées pour une autre utilisation (salades composées par exemple).

- Des moules décortiquées, panées et frites servies à part peuvent accompagner ce potage rafraîchi.

- La cuisson de moules étant toujours fortement salée, ne pas adjoindre de sel dans cette préparation.

LES QUATRE REGLES POUR VARIER L'ASSAISONNEMENT DES SALADES COMPOSEES

Varier le choix des huiles

- Huile d'arachide, de colza, de soja et de maïs au goût neutre.
- Huile d'olive riche, digeste et au goût fruité.
- Huile de noix au goût caractéristique.
- Huile de noisette peu diffusée mais délitate et légère.
- Huile de pépins de raisin toujours raffinée au goût particulier.
- Huile de sésame pour assaisonner les salades composées d'origine asiatique ou orientale.
- Huile de pépins de courge (ou citrouille) à la saveur délicate, ne convient pas à tous les apprêts du fait de son goût particulier.

Penser à utiliser des vinaigres aromatisés

- Framboises, cassis, griottes.
- Cidre, Xérès.
- Echalotes, estragon.
- Aux fruits des bois.

Utiliser le plus souvent possible des « denrées complémentaires »

- Citrons, oranges (jus, zestes).
- Noix, noisettes, amandes.
- Echalotes, câpres.
- Fines herbes (estragon, persil, cerfeuil et ciboulette).
- Aneth, basilic, menthe.
- Sauce anglaise, ketchup.
- Roquefort, cognac.

Ne pas oublier les épices

- Safran, paprika, curry.
- Coriandre, gingembre.
- Fenouil, cumin.

Rouges, verts ou jaunes les poivrons sont souvent utilisés en cuisine, principalement pour leur saveur caractéristique mais aussi pour leur couleur. Pour être digestes, ils doivent impérativement être pelés.

Retirer le pédoncule des poivrons, les épépiner, les huiler très légèrement et les mettre dans un four très chaud (240° thermostat maximum) et les y laisser jusqu'à ce que la peau ait gonflé et noirci. Les déposer dans un linge humide. Les peler.

Une autre méthode consiste à faire griller les poivrons sur la flamme au bout d'une fourchette.

Crudités aux amandes et au citron

8 pers. ✕ ○
Prép. : 30 mn.

100 g. de poivron
100 g. de branches de céleri
300 g. de carottes
300 g. de pommes fruits
300 g. de haricots verts
4 tomates moyennes (soit 400 g. environ)
1 dl. d'huile
1 citron
50 g. d'amandes effilées
1 laitue
Sel, poivre.

Plonger quelques minutes les tomates dans l'eau bouillante afin de pouvoir retirer la peau, les couper en deux.

Effiler et cuire les haricots verts à l'eau bouillante, sans couvrir, juste à point.

Couper les poivrons en deux dans le sens de la longueur, les badigeonner d'huile, les passer 5 à 10 minutes au four très chaud, retirer la peau, émincer.

Eplucher et râper les carottes.

Eplucher minutieusement et émincer les branches de céleri.

Eplucher et tailler en dés les pommes.

Retirer le zeste de citron, le tailler en petits dés.

Réaliser une sauce avec l'huile,

le jus de citron, sel et poivre. Griller les amandes au four.

Mélanger délicatement poivron, céleri, carottes, pommes et haricots verts, assaisonner. Dresser dans un saladier « tapissé » de feuilles de laitue. Parsemer du zeste de citron et d'amandes effilées grillées, décorer avec les demi-tomates mondées.

Ces crudités peuvent également se présenter non mélangées (légumes en « bouquets » séparés) sur plat long.

Courgettes à l'antiboise

8 pers.   ✕ ○
Prép. : 30 mn. Cuiss. : 10 mn.

6 petites courgettes (soit 1 kg. environ)
6 tomates moyennes (soit 600 g. environ)
100 g. d'oignon
2 cuillerées à soupe de persil haché
16 anchois à l'huile
2 gousses d'ail
5 cl. d'huile d'olive
1 pincée de fleur de thym
Sel, poivre.

Eplucher les courgettes, les couper en rondelles pas trop minces, ainsi que les tomates.

Hacher l'oignon, le faire suer dans une petite casserole avec un peu d'huile d'olive.

Tapisser le fond d'un plat à gratin avec cet oignon haché sué. Disposer dessus les rondelles de tomates et de courgettes en alternance. Laisser chevaucher chaque rondelle aux trois-quarts sur la précédente. Saler, poivrer. Saupoudrer d'ail et de persil hachés ainsi que de fleur de thym. Verser le reste d'huile d'olive. Disposer les filets d'anchois pour finir en les croisant.

Cuisson à four chaud (200°, thermostat 6-7) 10 minutes environ. Servir tiède ou refroidi.

Salade vigneronne

8 pers.   ✕ ○
Prép. : 30 mn.

1 petite salade frisée
1 petite scarole bien blanche
1 grappe de raisin blanc
1 grappe de raisin noir
100 g. de gruyère
1 pomme fruit (200 g. environ)
50 g. de cerneaux de noix
5 cl. d'huile d'arachide
5 cl. d'huile de noix
3 cl. de vinaigre de vin
1 cuillerée à café de moutarde
1 demi-citron
Sel, poivre.

Trier et laver les salades, bien les égoutter. Couper chaque feuille en deux ou trois.

Eplucher la pomme, la couper en fines lamelles, citronner pour éviter de noircir.

Egréner les raisins, peler les grains si possible. Ce travail est assez long mais dépend avant tout de la variété et de la maturité des raisins.

Couper le gruyère en dés.

Emincer grossièrement les cerneaux de noix.

Réaliser une sauce avec huile de noix et d'arachide, vinaigre, moutarde, sel et poivre.

Mélanger cette sauce avec les deux salades, les raisins, les lamelles de pomme et les dés de gruyère.

Parsemer le dessus de cerneaux de noix.

Salade américaine

8 pers. ✗ ∞
Prép. : 30 mn.

8 tranches d'ananas (frais de préférence)
1 petite boîte de maïs égréné
400 g. de blanc de volaille pochée
300 g. de concombre
100 g. de poivron rouge
Quelques feuilles de laitue
2 œufs
2 petites tomates
1 dl. d'huile d'olive
1 citron
2 cuillerées à soupe de ketchup
Sel, poivre.

Couper les poivrons en deux dans le sens de la longueur, les badigeonner d'huile, les passer 5 à 10 minutes au four chaud afin de pouvoir retirer la peau. Détailler en dés.

Eplucher, épépiner et tailler en dés le concombre. Mettre à dégorger au gros sel.

Découper l'ananas en dés.

Détailler le blanc de volaille en julienne (éliminer la peau).

Cuire les œufs durs. Plonger quelques minutes les tomates dans l'eau bouillante afin de pouvoir retirer la peau, les couper en quatre.

Réaliser une sauce avec l'huile d'olive, le jus d'un citron, le ketchup, le sel et le poivre.

Mélanger délicatement les dés de poivron, de concombre égouttés et d'ananas avec la julienne de volaille, le maïs égoutté et la sauce.

Tapisser un saladier de quelques feuilles de laitue. Verser la salade composée. Décorer le dessus avec des quarts d'œufs durs et de tomates.

Taboulé « syrien »

8 pers. ✗ ○
Prép. : 20 mn.

400 g. de semoule moyenne de couscous
2 citrons
800 g. de tomates
5 cl. d'huile d'olive
15 g. de menthe fraîche
Quelques oignons frais (selon la saison)
8 olives noires
Sel, poivre
5 cl. d'eau tiède.

Plonger quelques minutes les tomates dans l'eau bouillante afin de pouvoir retirer la peau, en réserver deux moyennes pour la décoration, concasser les autres.

2 à 3 heures avant de servir, faire « gonfler » la graine de couscous à froid dans un grand plat creux avec le jus de 2 citrons, la tomate concassée, 10 g. de menthe hachée, l'huile d'olive et l'eau tiède, saler, poivrer.

Egrener au moment de servir, dresser en dôme dans un saladier. Décorer avec les olives noires, des quartiers de tomates mondées (réservées à cet effet), un bouquet de menthe au centre et selon la saison de quelques oignons frais fendus.

La quantité d'eau peut varier en fonction de la qualité de la semoule.

Salade de volaille à la chinoise

8 pers.   ✗ ∞
Prép. : 25 mn.

300 g. de chair de canard rôti (avec la peau) ou à défaut de poulet rôti
1 boîte de germes de soja
1 boîte de pousses de bambou
10 g. de champignons chinois séchés « noirs »
10 g. de champignons chinois séchés « parfumés »
1 cuillerée de graines de sésame grillées
Quelques feuilles de menthe fraîche
20 g. de gingembre frais.

Sauce :
1 cuillerée à café de moutarde
1 cuillerée à café de sucre
1 cuillerée à soupe de ketchup
1 cuillerée à soupe de sauce soja
1 cuillerée à soupe de vinaigre
1 demi-cuillerée à café de gingembre en poudre
1 gousse d'ail écrasée
5 cl. d'huile de sésame
1 pincée de fleur de thym
1 demi-feuille de laurier écrasée
1 cuillerée à soupe d'alcool de riz (à défaut du cognac)
1 pincée de poivre noir et de sel fin.

Faire tremper les champignons séchés 30 minutes à l'eau tiède. Les rincer, les éponger, les couper en quatre.

Détailler la chair de canard rôti (ou de poulet) en julienne.

Egoutter germes de soja et pousses de bambou.

Préparer une sauce en mélangeant tous les ingrédients prévus.

Mélanger chair de canard, germes de soja et pousses de bambou avec la sauce. Disposer le tout dans un grand saladier. Parsemer sur le dessus les champignons, les feuilles de menthe, le gingembre frais émincés et les graines de sésame. Placer au centre un bouquet de feuilles de menthe.

CONSEIL

- *L'originalité et la subtilité de la cuisine chinoise s'expriment par le mélange des quatre saveurs fondamentales (aigre, salé, sucré et doux).*

- *Cette cuisine se caractéristique par le découpage en menus morceaux des aliments (cubes, lamelles, dés et rondelles). Cette méthode est conditionnée par la pauvreté en combustible très sensible en Chine (les plats doivent cuire rapidement).*

Salade maharadjah

8 pers.   ✂ ◯◯◯
Prép. : 30 mn. Cuiss. : 15 mn.

300 g. de riz
100 g. de poivrons rouges
50 g. de raisins secs
100 g. de petits pois écossés (frais ou surgelés)
1 ou 2 boîtes de crabe
2 tomates moyennes
200 g. de courgettes
2 cuillerées à soupe de ciboulette ciselée
1,5 dl. d'huile d'olive
5 cl. de vinaigre
2 cuillerées à soupe de curry
Sel, poivre.

Cuire le riz à l'eau, rafraîchir, égoutter.

Couper les poivrons en deux dans le sens de la longueur, les badigeonner d'huile, les passer 5 à 10 minutes à four très chaud, retirer la peau, couper en dés.

Faire gonfler les raisins secs à l'eau tiède.

Cuire les petits pois à l'eau salée sans couvrir pour qu'ils restent bien verts.

Eplucher les courgettes, les couper en dés, faire blanchir fortement à l'eau bouillante salée.

Ebouillanter quelques minutes les tomates, les peler, les couper en quatre, réserver.

Réaliser une vinaigrette avec huile d'olive, vinaigre, sel, poivre et curry.

Emietter le crabe (la quantité étant fonction de votre budget).

Mélanger riz, poivrons, raisins secs, petits pois dans un grand saladier avec la vinaigrette. Disposer en dôme. Alterner sur le tour du saladier, un quart de tomate, 1 cuillerée de crabe, 1 cuillerée de courgette. Saupoudrer de ciboulette ciselée.

CONSEIL

- *Le curry (ou cari ou kari) est un mélange d'épices d'origine indienne. En Inde chaque cuisinier prépare son propre curry et les composantes varient selon la région, la caste et l'usage (tamarin, coriandre, piment, cumin, poivre, etc.).*

- *Actuellement en Europe on trouve du curry doux (mild), fort (hot) et brûlant (very hot), bien lire les notices accompagnant le produit.*

- *Utiliser ce mélange d'épices avec attention, ne pas poivrer par ailleurs.*

Salade de choux crus aux foies de volaille

8 pers. ✕ ◯◯
Prép. : 30 mn.

1 kg. de chou blanc
0,5 kg. de chou rouge
1 pomme fruit un peu acide
(200 g.)
100 g. de cerneaux de noix
100 g. de roquefort (ou fromage
similaire)
300 g. de foies de volaille
5 cl. d'huile d'arachide
1 dl. d'huile de noix ou noisette
1 dl. de vinaigre
2 gousses d'ail
1 citron
1 cuillerée à café de moutarde
Sel, poivre.

Trier, laver, égoutter et ciseler en fine julienne le chou blanc.

Procéder de même avec le chou rouge. Faire chauffer 5 cl. de vinaigre avec 2 gousses d'ail écrasées. Verser bouillant sur le chou rouge.

Hacher grossièrement les cerneaux de noix. Tailler le roquefort en dés.

Eplucher la pomme, couper en dés, citronner pour éviter qu'elle ne noircisse.

Confectionner une vinaigrette : mélanger au fouet 5 cl. de vinaigre, sel, poivre et moutarde, puis ajouter l'huile de noix ou noisette.

Dans un grand saladier mélanger la julienne de chou blanc, la julienne de chou rouge égouttée, les dés de pomme, une partie des noix concassées, les petits débris issus du taillage du roquefort et la sauce.

Couper chaque foie de volaille en 3 ou 4 morceaux. Faire sauter vivement ces foies à l'huile d'arachide dans une poêle au dernier moment. Les déposer sur le dessus de la salade ainsi que quelques cerneaux de noix hachés et les dés de roquefort.

Salade bretonne

8 pers. ✕ ◯◯
Prép. : 45 mn. Cuiss. : 1 à 2 h.

200 g. de haricots rouges
200 g. de haricots blancs (cocos)
200 g. de flageolets
200 g. de pois gourmands
500 g. de moules
500 g. de coques ou vénus
500 g. de pétoncles
2 dl. de vin blanc
100 g. d'échalotes ciselées
1 cuillerée à soupe d'estragon
haché
2 cuillerées à soupe de persil
haché
1 pincée de fleur de thym
3 « mini » bouquets garnis
5 cl. de vinaigre à l'estragon.
1 dl. d'huile de noisette
Sel, poivre.

Cuire séparément les haricots rouges, les haricots blancs et les flageolets dans de l'eau bouillante salée avec les « mini » bouquets garnis. Les temps de cuisson dépendent de la fraîcheur et de la tendreté des haricots.

Gratter moules, coques et pétoncles, bien les laver. Les faire ouvrir avec la fleur de thym, 50 g. d'échalote ciselée, le vin blanc, le persil haché et un peu de poivre. Décortiquer les 3/4 des coquillages. Le quart restant est réservé avec les coquilles pour la décoration.

Cuire les pois gourmands à l'eau salée. Les garder bien verts. Rafraîchir et égoutter.

Faire une sauce avec l'huile de noisette, le vinaigre à l'estragon, l'estragon haché, 50 g. d'échalote ciselée, sel et poivre.

Mélanger délicatement dans un saladier les 3 sortes de haricots égouttés, les coquillages décortiqués avec la sauce.

Décorer le dessus de la salade bretonne avec les pois gourmands et les coquillages réservés à cet effet (ne leur laisser qu'une seule coquille).

CONSEIL

- *La salade bretonne sera meilleure si on utilise des haricots frais, saison de juillet à septembre.*

- *En dehors de cette saison on peut utiliser des haricots secs, les faire tremper alors 2 heures au moins dans l'eau froide. Diviser les proportions en deux. Les cuire à petite ébullition, la cuisson des légumes secs ayant tendance à déborder.*

- *Pour garder les légumes (pois gourmands, petits pois, haricots verts, épinards) bien verts, les cuire dans un grand volume d'eau bien bouillante et fortement salée. La cuisson doit s'effectuer rapidement et sans couvercle. Rafraîchir aussitôt la cuisson terminée.*

Assiette de la Baltique

Prép. : 30-50 mn. ✗✗ ⬭⬭⬭

Cette assiette est composée exclusivement de poissons fumés ou marinés et d'œufs de poisson.

Il n'existe pas de recette type pour cette préparation de choix, différentes associations étant possibles en fonction de son budget et de ses possibilités d'approvisionnement. Le saumon fumé est maintenant connu par tout le monde, par contre d'autres poissons fumés ou marinés tout aussi délicats mais certes plus rares restent malheureusement méconnus.

Différents poissons ou œufs de poisson peuvent être utilisés

- *Saumon fumé :* Ecossais, danois, norvégien ou canadien. Trancher très fin.

- *Esturgeon fumé :* Très apprécié en Russie. Découper très fin.

- *Anguille fumée :* Consommée en Scandinavie et en Allemagne de l'ouest, elle doit avoir une peau brillante, presque noire. Retirer cette peau et découper en lamelles très fines.

- *Flétan fumé :* Le flétan est un gros poisson plat très maigre qui s'apparente au turbot, fumé il reste assez rare, très apprécié dans les pays nordiques. Découper très fin.

- *Truite fumée :* Petite (portion) elle est parfois « sèche », la choisir de préférence en gros filets. Retirer la peau si nécessaire et couper en biseau.

- *Sprats :* Petits poissons très voisins des sardines. Très utilisés dans la cuisine scandinave, s'achètent fumés ou marinés en conserve. Servir tel quel.

- *Caviar :* Oeufs d'esturgeon salés, reste très onéreux mais d'une saveur inégalable. Servir en dôme ou mieux sur petits canapés (pas de citron).

- *Oeufs de saumon :* Présenter sur petits canapés.

- *Oeufs de lump :* Noirs ou rouges, présenter sur petits canapés.

- *Rollmops :* De l'allemand rollen, « roûler » peuvent s'acheter en semi-conserve importés du Danemark ou d'Allemagne. Les rollmops seront à coup sûr plus appréciés s'ils sont faits maison (recette page 114). Se présentent égouttés, entiers ou coupés en demi.

- *Harengs marinés :* Consommés dans toute la Scandinavie. Présenter égouttés. (Recette page 114 : harengs marinés à la Suédoise « aigre-doux »).

ACCOMPAGNEMENT :

- *Toasts :* Toujours des problèmes pour les conserver chauds et non secs.
ou
- *Blinis :* Restent très appréciés (recette page 112).

SAUCE :

- Crème fraîche.
- Crème aigre.
- Sauce « Sevruga » (recette page 145).

BOISSON :

- La vodka s'impose avec cette assiette de la Baltique.

Blinis

20 pièces   ✗ ○
Prép. : 20 mn. Cuiss. : 20 mn.
Fermentation : 3 à 4 h.

750 g. de farine
50 g. de levure
3 œufs
1 lit. de lait
1 pincée de sel
1 pincée de sucre
50 g. de beurre
5 cl. d'huile.

Délayer la levure dans 8 dl. de lait tiède (35 à 40º), y ajouter le sucre, le sel, les 3 jaunes d'œufs, le beurre fondu et 400 g. de farine, bien travailler.

Laisser fermenter le tout dans un endroit tiède (1 h à 2 h), recouvrir la pâte d'un linge.

Quand le volume de la pâte a doublé, ajouter le restant de lait chauffé à 40º et les 3 blancs d'œufs montés en neige.

« Rompre » la pâte, la mettre de nouveau à fermenter pendant 2 heures. Elle doit avoir la consistance d'une crème épaisse (ajouter éventuellement un peu de lait si elle est trop épaisse).

Graisser des petites poêles spéciales ou à défaut des petites poêles à crêpes avec l'huile, verser la pâte. Dès que le dessous est coloré, huiler le dessus, retourner et terminer la cuisson.

Rillettes de saumon

8 pers.   ✗✗ ◌◌◌
Prép. : 30 mn. Cuiss. : 30 mn.

400 g. de saumon frais ou congelé
80 g. de saumon fumé
2 jaunes d'œufs
100 g. de beurre
3 cl. d'huile d'olive
50 g. de carotte
50 g. d'oignon
1 petit bouquet garni
1 dl. de vin blanc
Sel, poivre.

Réunir dans une casserole 1 lit. d'eau, l'oignon et la carotte émincés, le vin blanc et le bouquet garni, saler, poivrer. Laisser bouillir le tout doucement pendant 20 minutes.

Mettre le saumon frais ou décongelé dans le court-bouillon tiède. Amener doucement à ébullition et laisser pocher à légers frémissements pendant 10 minutes. Laisser refroidir dans la cuisson puis égoutter le saumon, éliminer peaux et arêtes, effeuiller à la fourchette.

Couper en petits dés le saumon fumé.

Mélanger intimement ces deux poissons avec les jaunes d'œufs, le beurre en pommade et l'huile d'olive. Rectifier l'assaisonnement. Disposer le tout dans un petit saladier en grès, laisser 2 à 3 heures au réfrigérateur avant de servir.

Assiette surprise

8 pers.   ✗ ◌◌◌
Prép. : 30 mn. Cuiss. : 20 mn.

8 tranches de saumon fumé (300 g.)
1 ou 2 magrets de canard fumé (300 g.)
4 belles poires (800 g.)
1 citron
300 g. de sucre semoule
Quelques feuilles de laitue
2 dl. de sauce « Sevruga ».

Réunir dans une casserole 6 dl. d'eau, le sucre semoule et le zeste d'un citron, porter à ébullition.

Eplucher, citronner, couper en deux et évider les poires. Les mettre à cuire dans le sirop 15 à 20 minutes suivant le degré de maturité des poires. Recouvrir d'un rond de papier sulfurisé afin de maintenir les fruits en immersion. Laisser refroidir dans le sirop.

Confectionner la sauce « Sevruga » (page 145).

Trancher le magret de canard fumé en lamelles assez larges mais très fines.

Couper chaque tranche de saumon fumé en trois.

Alterner pour la présentation, lamelles de poires, petites tranches de saumon fumé et de magret de canard fumé. Décorer avec les feuilles de laitue. La sauce « Sevruga » peut compléter cette présentation si elle est assez ferme, ou se servir à part.

Cette assiette s'accompagnera très bien de blinis.

CONSEIL

- Les blinis se conservent dans un linge humide.

- Ne pas remuer la pâte pendant la cuisson.

- La pâte à blinis peut également se fabriquer avec de la farine de sarrasin ou moitié farine de blé, moitié farine de sarrasin.

- Le saumon congelé se décongèle sous l'eau froide courante pendant 1 heure environ.

- La création de recettes « rillettes au poisson » a été essentiellement motivée pour ne pas jeter des parures difficilement utilisables autrement (queues et « hauts » de poissons, « chutes » de poissons fumés).

- Attention au sel dans toutes préparations comportant un élément préalablement salé (jambon et saumon fumés notamment).

Harengs marinés à la suédoise « aigre-doux »

8 pers.　✗ ○
Prép. : 30 mn.　Cuiss. : 10 mn.
Marinade : 24 h.

8 harengs frais (1,2 kg. environ)
1 cuillerée à soupe d'aneth haché
Sel.

Eléments de la marinade :
4 dl. d'eau
4 dl. de vinaigre
150 g. de sucre
50 g. d'oignon (1 pièce)
50 g. de carotte (1 pièce)
1 petite feuille de laurier
1 blanc de poireau
1 clou de girofle
10 grains de poivre.

Couper la tête des harengs, lever les filets, bien enlever toutes les arêtes. Saupoudrer de sel fin, l'intérieur des 16 filets, laisser reposer 1 heure.

Préparer la marinade : canneler et émincer finement la carotte, couper l'oignon et le blanc de poireau en rondelles. Réunir ces légumes avec tous les autres éléments de la marinade dans une casserole, cuire 10 minutes, laisser refroidir.

Eponger soigneusement les filets de harengs pour éliminer le plus possible de sel. Les disposer dans une terrine, arroser avec la marinade refroidie et laisser mariner pendant 24 heures minimum.

Pour la présentation, sortir les filets de harengs de la marinade, couper en morceaux si nécessaire. dresser dans un ravier ou sur une assiette (assiette de la Baltique), garnir de rondelles de légumes (carotte cannelée, oignon et blanc de poireau). Verser un peu de marinade. Saupoudrer d'aneth haché.

Terrine de poisson

8 pers.　✗✗✗ ○○○
Prép. : 45 mn.　Cuiss. : 45 mn.
Marinade : 3 à 4 h.

800 g. de filets de merlan
200 g. de grosses crevettes décortiquées
400 g. de filets de saumon
4 dl. de crème fraîche
4 blancs d'œufs
2 cuillerées de persil haché
1 bouquet d'estragon
1 citron
5 cl. d'huile
50 g. de beurre
Thym, laurier
5 cl. de cognac
Sel, poivre.

Pour servir chaude prévoir une sauce poisson légère (américaine, curry, crème, etc.) ou plus généralement froide une gelée et une sauce mayonnaise ou tartare.

Tailler les filets de saumon en lanières. Les mettre à mariner avec les crevettes, le jus d'un citron, l'huile, le cognac, thym, laurier, sel et poivre, pendant 3 à 4 heures au frais.

Mixer les filets de merlan, mettre dans un saladier, travailler cette chair de poisson vigoureusement avec les blancs d'œufs, réserver au frais 30 minutes.

Travailler de nouveau avec une spatule en bois sur glace (récipient rempli de glaçons plus grand que le saladier) en incorporant progressivement la crème fraîche, ajouter estragon, persil haché et le « jus de la marinade », saler, poivrer.

Beurrer grassement une terrine, intercaler couches de farce de merlan avec saumon et crevettes, mettre le couvercle ou recouvrir éventuellement de papier aluminium.

Cuire au four, au bain-marie, à une température de 180ºC (thermostat 5, 6), 45 minutes à 1 heure selon la grosseur de la terrine.

Vérifier l'à point de cuisson en piquant la chair avec une aiguille.

Rollmops

8 pers.　✗✗ ○
Prép. : 30 mn.　Cuiss. : 15 mn.
Macération : 24 h.

8 harengs (1,2 kg. environ)
1 cuillerée de moutarde blanche
8 petits cornichons au vinaigre
50 g. d'oignons hachés
Sel.

Eléments de la marinade :
4 dl. d'eau
3 dl. de vinaigre de vin
10 grains de poivre
1 clou de girofle
3 baies de genièvre
1 petite feuille de laurier
10 g. de sucre
Sel.

Couper la tête des harengs, faire glisser le pouce le long du dos pour enlever les arêtes, bien nettoyer et poser les deux filets réunis sur un papier absorbant. Saupoudrer de sel fin l'intérieur des filets, laisser reposer 1 heure.

Réunir tous les ingrédients de la marinade dans une casserole, laisser cuire 10 minutes.

Eponger soigneusement les 8 « doubles filets » de harengs pour éliminer le plus possible de sel, badigeonner très légèrement de moutarde blanche, à l'aide d'un pinceau l'intérieur de chaque filet. Parsemer d'oignons hachés, disposer au milieu un petit cornichon au vinaigre. Rouler et maintenir avec un bâtonnet de bois.

Disposer les filets roulés dans un plat creux, arroser de marinade, faire frémir 5 minutes. Laisser refroidir dans la marinade, couvrir et faire macérer au moins 24 heures.

Rougets à l'orientale

8 pers. ✗✗ ∞∞∞
Prép. : 40 mn. Cuiss. : 10 mn.

16 petits rougets (1,6 à 2 kg.)
5 cl. d'huile d'olive
100 g. d'oignons
4 dl. de vin blanc
100 g. de bulbe de fenouil
4 gousses d'ail
Quelques grains de poivre
Quelques grains de coriandre
2 g. de safran
500 g. de tomates fraîches
1 bouquet garni
Sel.

Ecailler les rougets, les vider, les laver, les éponger délicatement dans un torchon.

Monder les tomates à l'eau bouillante, les couper en deux, les épépiner, les concasser.

Huiler un plat creux, le parsemer d'oignons ciselés, y disposer les rougets, ajouter la tomate concassée, le safran, le bouquet garni, l'ail écrasé, poivre et coriandre en grains, saler, mouiller avec le vin blanc. Couvrir d'un papier huilé, porter à ébullition, laisser frémir 8 à 10 minutes, puis refroidir dans la cuisson.

Servir en plat creux, copieusement arrosé de jus de cuisson, décorer avec des rondelles de citron cannelé et des branches de persil.

CONSEIL

- *Le signe infaillible de la fraîcheur des rougets est leur couleur rouge ou rose plus ou moins soutenue : si elle s'estompe, le poisson commence à s'altérer.*

- *Les rougets bien que « truffés d'arêtes », sont des poissons très appréciés. Mais ils sont très fragiles et doivent être vendus et consommés rapidement.*

Les citrons cannelés apportent une touche de décoration certaine à un plat de poisson.

Le canneleur est un petit outil très utile qui peut être également utilisé pour décorer desserts, salades composées ou toutes autres préparations à l'aide de pamplemousses, oranges, courgettes, carottes ou concombres.

Les agrumes ou légumes cannelés doivent être émincés très fin (2 mm environ d'épaisseur).

Escabèche de maquereaux

8 pers. ✗ ○
Prép. : 30 mn. Cuiss. : 15 mn.
Marinade : 24 h.

*1,2 kg. de petits maquereaux
(lisettes de Dieppe)
50 g. de farine
1 dl. d'huile
Sel, poivre.*
Marinade :
*4 dl. d'huile
2 dl. de vinaigre
1 dl. d'eau
50 g. de carotte
50 g. d'oignon
6 gousses d'ail
1 petite feuille de laurier
Quelques brindilles de thym
2 petits piments
Gros sel.*

Vider les petits maquereaux, éliminer les têtes, bien les laver, les éponger soigneusement.

Assaisonner les maquereaux, les fariner, les faire colorer dans une poêle à l'huile très chaude. La coloration étant obtenue, les égoutter et les ranger dans un plat creux.

Préparer la marinade : émincer finement la carotte cannelée, couper en fines rondelles l'oignon. Jeter ces deux éléments et l'ail entier dans l'huile très chaude (il faut qu'elle fume légèrement). Laisser frire pendant quelques instants et ajouter le vinaigre, l'eau, le gros sel et les aromates. Laisser bouillir 15 minutes.

Verser cette marinade bouillante sur les maquereaux et laisser mariner pendant 24 heures.

Servir avec quelques cuillerées de marinade bien froide.

Ce mode de préparation, originaire d'Espagne, s'applique essentiellement aux petits poissons (sardines, maquereaux, éperlans, merlans, rougets) qui sont d'abord étêtés (d'où le nom de l'apprêt, dérivé de cabeza, « tête » avec un préfixe privatif).

Maquereaux au cidre

8 pers. ✗ ○
Prép. : 30 mn. Cuiss. : 5 mn.

*800 g. de filets de maquereaux
100 g. d'oignon
200 g. de pommes
1 bouteille de cidre brut
1 dl. de vinaigre de cidre
1 cuillerée à soupe de ciboulette ciselée
Persil
1 citron
Sel, poivre.*

Bien laver les filets de maquereaux, les éponger soigneusement. Saler et poivrer fortement les 2 faces.

Eplucher et émincer finement les oignons et les pommes.

Disposer le tout dans un plat creux, ranger dessus les filets.

Mouiller de cidre jusqu'à hauteur, ajouter le vinaigre et porter à ébullition. Maintenir un léger frémissement pendant 5 minutes. Laisser refroidir le tout.

Pour servir, parsemer de ciboulette, décorer à votre goût de persil, de citron cannelé.

Petits maquereaux aux aromates

8 pers. 🍴 ⭕
Prép. : 30 mn. Cuiss. : 25 mn.

1,2 kg. de petits maquereaux
(lisettes de Dieppe)
2 citrons
100 g. d'oignons
50 g. d'échalotes
50 g. de cornichons
5 dl. de vin blanc
5 dl. de vinaigre
5 dl. d'eau
1 pincée de fleur de thym
1 feuille de laurier pulvérisé
Quelques graines de coriandre
Quelques grains de poivre
4 gousses d'ail
Sel.

Vider les petits maquereaux, éliminer les têtes, bien les laver, les éponger soigneusement.

Mettre à bouillir pendant une vingtaine de minutes le vin blanc, le vinaigre, l'eau, les oignons et l'échalote émincés, les cornichons en rondelles, la fleur de thym, le laurier pulvérisé, les gousses d'ail écrasées, sel, poivre en grains, coriandre et les rondelles de citrons pelés à vif. Laisser refroidir cette cuisson.

Ranger les maquereaux dans un plat creux, verser la cuisson refroidie à hauteur, amener doucement à ébullition, maintenir un léger frémissement pendant quelques minutes. Laisser refroidir le tout. Décor avec persil branche, citrons cannelés ou historiés.

Autres éléments pouvant entrer dans cette préparation : rondelles de carottes cannelées, petits piments, tranches de poivrons, tomates concassées, etc.

117

Thon froid à la bisquayenne

8 pers. ✕ ◯◯
Prép. : 30 mn. Cuiss. : 1 h.

1,8 kg. de thon frais
200 g. d'oignons
1,2 kg. de tomates fraîches
200 g. de poivrons
4 gousses d'ail
1 dl. d'huile d'olive
1 bouquet garni
100 g. d'olives noires
1 cuillerée de tomate concentrée
50 g. de farine
Sel, poivre.

Plonger quelques minutes les tomates dans l'eau bouillante afin de pouvoir retirer la peau, en réserver quatre moyennes pour la décoration, couper en deux les autres, épépiner, concasser.

Faire suer sans coloration les oignons et les poivrons émincés, dans 1 dl. d'huile d'olive, bien laisser « compoter », ajouter la tomate concassée et le concentré, le bouquet garni, l'ail écrasé, saler, poivrer. Verser dans un plat allant au four.

Fariner le morceau de thon, le faire revenir vivement à la poêle avec 5 cl. d'huile d'olive. Le placer dans la préparation aux tomates (basquaise), ajouter un peu d'eau si cette préparation n'est pas assez liquide. Cuisson à four chaud (200°, thermostat 6-7) pendant 1 heure environ. Laisser refroidir le tout.

Escaloper le thon. Disposer les morceaux de poisson sur la basquaise dans un plat creux. Décorer avec les olives et les 8 demi-tomates, mondées, réservées à cet effet.

Thon à l'huile maison

8 pers. ✕ ◯◯
Prép. : 20 mn. Cuiss. : 1 h 30 mn.
Marinade : 4 jours.

1 kg. de thon frais (1 tranche
épaisse)
1 lit. d'huile d'arachide environ
Thym, laurier
Gros sel
Poivre en grain.

Débarrasser le poisson de toutes peaux et arêtes, laver les morceaux, les laisser dégorger 30 minutes à l'eau courante, égoutter, bien éponger dans un torchon.

Disposer dans un saladier avec thym, laurier, sel et poivre en grains. Ajouter l'huile afin que les morceaux de thon soient bien recouverts, protéger avec du papier aluminium. Laisser mariner 4 jours au réfrigérateur.

Disposer le tout délicatement dans une casserole, couvrir, laisser chauffer très doucement sur le coin du four ou à four tiède (thermostat 3 maximum), surtout pas d'ébullition, le thon doit confire très lentement pendant 1 heure 30 minutes environ et deviendra alors blanc (le temps de cuisson est proportionnel à la grosseur des morceaux de thon).

Au terme de la cuisson, laisser refroidir le thon dans la marinade.

CONSEIL

Chacun peut personnaliser cette recette de thon « maison » en y ajoutant d'autres aromates : tomates, petits piments, cornichons, huile d'olive, etc.

Les citrons ou oranges « historiés » sont des agrumes servant d'éléments de décoration qui ont été découpés en dents de loup ou transformés en panier à l'aide d'un couteau d'office.

La décoration d'un plat présenté sur un buffet est importante, elle passe par ces petits tours de main.

Sardines farcies
à la niçoise

16 pièces
Prép. : 45 mn. Cuiss. : 5 mn.

16 sardines (soit 0,8 kg. environ)
1 dl. d'huile d'olive
100 g. d'oignons
2 gousses d'ail
1 pincée de basilic
1 kg. d'épinards
2 œufs
50 g. de panure
80 g. de parmesan
Sel, poivre.

Ecailler les sardines, les essuyer, les désarêter par le dos, ôter les entrailles, les laver, les éponger soigneusement, les disposer bien ouvertes sur un linge, assaisonner.

Cuire les épinards rapidement à l'eau bouillante salée, les rafraîchir, les égoutter, en faire deux ou trois boules (garder les épinards bien verts).

Faire suer sans coloration l'oignon ciselé dans 5 cl. d'huile d'olive, adjoindre les épinards concassés, le basilic, l'ail écrasé, assaisonner. Ajouter hors du feu dans cette préparation légèrement refroidie les œufs entiers et la panure. Bien remuer.

Garnir chaque sardine avec une cuillerée de cette farce, relever la tête et la queue, les ranger sur une plaque huilée, saupoudrer de parmesan et arroser de 5 cl. d'huile d'olive. Cuire 5 minutes à four chaud 200º (thermostat 6-7).

Viandes froides et charcuteries sont souvent présentées sur un buffet.

Penser aux condiments « maison » qui apporteront à coup sûr une note personnelle.

Un plat de poulet froid peut paraître banal, « standard »... mais accompagné de condiments « maison » colorés, variés et originaux ce même plat prendra une autre dimension et aura un autre impact.

Cerises au vinaigre

1 bocal ✗ ○
Prép. : 20 mn.

500 g. de cerises
1 lit. de vinaigre de vin
2 clous de girofle
1 morceau de cannelle
Un soupçon de muscade râpée.

Couper la queue de chaque cerise à mi-hauteur. Les laver et les éponger délicatement dans un torchon. Ranger les cerises dans un bocal.

Faire bouillir le vinaigre avec les trois aromates, puis laisser refroidir.

Recouvrir complètement les cerises avec le vinaigre aromatisé. Fermer hermétiquement le bocal et laisser à l'abri de la lumière dans un endroit frais pendant 1 mois.

Légumes au vinaigre

1 bocal ✗ ○
Prép. : 45 mn. Cuiss. : 10 mn.
Dégorgement : 24 h.

600 g. de chou-fleur
300 g. de petites tomates « cerises » pas trop mûres
300 g. de haricots verts
200 g. de petits oignons
300 g. de poivrons jaunes, verts et rouges
1,5 lit. de vinaigre d'alcool
200 g. de sucre
1 bâton de cannelle
3 clous de girofle
1 cuillerée à café de poivre en grains
2 feuilles de laurier
1 demi-cuillerée à café de gingembre en poudre
200 g. de gros sel.

Détailler le chou-fleur en petits bouquets. Couper les poivrons en losanges. Effiler les haricots verts, les couper en deux si nécessaire. Eplucher les petits oignons. Laisser les tomates entières.

Disposer ces légumes dans une terrine par couches. Parsemer chacune d'une quantité égale de gros sel. Recouvrir d'eau froide pour que les légumes baignent entièrement. Couvrir d'une feuille de papier aluminium et réserver au frais 24 heures.

Le lendemain, égoutter les légumes, les rincer à l'eau courante pour retirer l'excès de sel. Eponger soigneusement dans un linge.

Réunir dans une casserole le chou-fleur, les oignons, le vinaigre, le sucre et les aromates. Amener à l'ébullition et laisser à feu doux une dizaine de minutes. En fin de cuisson, ajouter les poivrons. Laisser refroidir.

Disposer les légumes dans des bocaux en intercalant les haricots et les tomates. Remplir les bocaux de vinaigre. Servir après quelques semaines.

Cornichons au vinaigre

1 bocal ✗ ○
Prép. : 1 h. Dégorgement : 24 h.

1 kg. de petits cornichons
1 lit. de vinaigre blanc
300 g. de gros sel
100 g. de petits oignons blancs
1 petit bouquet d'estragon
2 gousses d'ail
Quelques grains de poivre et de coriandre.

Couper les extrémités des petits cornichons, s'ils sont plus gros les piquer légèrement avec un petit couteau. Les frotter avec un tissu rugueux.

Les mettre dans une terrine, ajouter du gros sel. Remuer et laisser dégorger pendant 24 heures.

Faire blanchir quelques secondes à l'eau bouillante l'estragon, rafraîchir et sécher.

Laver les cornichons à l'eau vinaigrée, les essuyer minutieusement un par un et les mettre en bocaux.

Ajouter les petits oignons épluchés, les branches d'estragon ébouillantées, l'ail, le poivre et la coriandre. Couvrir de vinaigre blanc, boucher hermétiquement avec un bouchon en liège de préférence.

Champignons à l'huile d'olive et à l'estragon

1 bocal   ✗ ∞
Prép. : 30 mn.
Macération : 24 h.

500 g. de têtes de champignons de Paris
1 lit. de vinaigre d'alcool
0,5 lit. d'huile d'olive
1 bouquet d'estragon
1 feuille de laurier
1 brindille de thym
1 branche de céleri
Quelques grains de poivre et de coriandre
Quelques graines de fenouil
3 gousses d'ail.

Choisir des champignons de Paris de grosseur moyenne et très sains. Ils devront être bien blancs et fermes. La fraîcheur des champignons pour cette recette est déterminante. Trier et laver minutieusement les têtes, les queues de champignons seront réservées pour un autre usage.

Bien éponger les champignons dans un torchon, les déposer dans un saladier. Ajouter le vinaigre d'alcool et tous les aromates (sauf le bouquet d'estragon). Disposer une assiette sur le dessus afin que tous les champignons baignent dans le vinaigre. Laisser macérer 24 heures dans un endroit frais.

Faire blanchir quelques secondes à l'eau bouillante l'estragon, rafraîchir et sécher.

Bien égoutter les champignons additionnés d'aromates, jeter le vinaigre. Disposer le tout dans un bocal en verre, ajouter l'estragon ébouillanté, l'huile d'olive à hauteur des champignons (ils doivent être bien recouverts).

Après quelques semaines ils seront prêts à être dégustés. Se consomment comme des cornichons ou des olives en accompagnement de charcuterie et viandes froides. Ils peuvent se conserver plusieurs mois. D'autres champignons peuvent être préparés de la même façon : cèpes, lactaires, etc.

CONSEIL

- *Les condiments « maison » non stérilisés se conservent toujours dans un endroit sec, frais, à l'abri de la lumière.*

- *Les cornichons au vinaigre peuvent être consommés au bout de 5 à 6 semaines, mais ils s'améliorent avec le temps (jusqu'à un an).*

- *Pour les conserves de cornichons, certains utilisent le vinaigre bouillant.*

- *Les variantes sont d'origine anglo-saxonne (pickles). Elles peuvent être réalisées sans sucre. D'autres légumes sont utilisés (concombres, choux, courgettes, petits champignons) mais parfois aussi des fruits (prunes, cerises, pommes, poires, pêches, citrons verts, etc.).*

Abaisser la pâte, disposer la farce au centre du rectangle obtenu, intercaller régulièrement la poitrine de canard taillée en lanières.

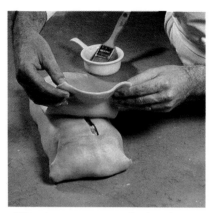

Disposer un rectangle de pâte sur le dessus.

Dorer les bords de la pâte à l'aide d'un pinceau. Rabattre les côtés de l'abaisse.

Passer de la dorure, rayer le dessus en losanges avec le dos d'un couteau puis placer au centre une petite cheminée en carton souple en l'enfonçant jusqu'à ce qu'elle atteigne la farce. Cette cheminée est prévue pour une éventuelle adjonction de gelée après cuisson.

Pâté pantin de canard

20 pers. (1 pièce) ✗ ✗ ✗ ∞
Prép. : 2 h. Cuiss. : 45 mn. à 1 h.
Repos de la pâte : 12 h.
Marinade : 12 à 24 h.

Farce :
500 g. de gorge de porc
500 g. d'échine de porc
300 g. d'épaule de veau
1 demi-canard, soit 1,2 kg. brut ou 0,6 kg. net (une cuisse et une aile)
1 œuf
1 dl. de madère
3 cl. de cognac
1 feuille de laurier écrasée
1 cuillerée à café de fleur de thym
Sel, poivre.

Pâte à pâté :
750 g. de farine
15 g. de sel
125 g. de saindoux
125 g. de beurre
6 œufs entiers.

Finition :
1 œuf (dorure)
5 dl. de gelée aromatisée avec 5 cl. de porto.

Travail la veille :

Préparer la pâte à pâté. L'utilisation du mixer est tout à fait recommandée pour la fabrication de cette pâte. Mélanger tous les ingrédients rapidement (beurre et saindoux en pommade). Le mixer ne doit pas tourner trop rapidement. Dès que la pâte forme une boule homogène, arrêter l'appareil. Laisser reposer au frais 12 heures minimum.

Désosser entièrement le demi-canard. Retirer la poitrine, ôter la peau, découper en lanières. Mettre à mariner dans un plat creux avec un peu de madère et de cognac. Couvrir d'un papier aluminium, réserver au frais.

Couper en gros dés le reste du canard (cuisse et peau), la gorge et l'échine de porc ainsi que l'épaule de veau. Disposer cette viande dans un grand saladier, ajouter le

reste de madère et du cognac, le laurier et la fleur de thym, saler, poivrer. Couvrir d'un papier aluminium et réserver au frais.

Travail le jour même :

Egoutter les « lanières » de poitrine de canard. Les faire revenir très vivement à la poêle, flamber avec la marinade. Réserver au frais.

Hacher grossièrement les viandes marinées, ajouter l'œuf entier et le jus de la marinade. Bien mélanger cette farce avec une spatule en bois.

Abaisser la pâte en rectangle, 3 mm d'épaisseur environ. Disposer au centre la farce en intercalant régulièrement les lanières de poitrine. Passer de la dorure sur les bords. Les rabattre pour « fermer » la pâte. Passer de nouveau de la dorure et disposer une abaisse de pâte de la grandeur du pâté. Dorer, rayer en losange le dessus du pâté pantin avec le dos d'un petit couteau. Placer une petite cheminée en carton souple au centre.

Mettre cuire le pâté pantin au four (200°, thermostat 6-7) pendant 45 minutes environ, réduire éventuellement la chaleur en fin de cuisson.

Servir chaud, le pâté reste tel quel. Par contre s'il est servi froid il faudra couler la gelée dans le pâté encore chaud par la cheminée prévue à cet effet.

Terrine de foies de volaille

1 terrine
(20 portions environ) ✗✗ ⚭
Prép. : 1 h. Cuiss. : 1 h 30 mn. à 2 h.
Marinade : 12 à 24 h.

1 kg. de gorge de porc
1 kg. d'échine de porc
200 g. de foies de volaille
200 g. de barde
5 cl. d'huile
5 cl. de madère
1 dl. de vin blanc
2 œufs entiers
1 dl. de crème fraîche
1 feuille de laurier écrasée
1 cuillerée à café de fleur de thym
Sel, poivre.

Détailler gorge et échine de porc en gros dés. Disposer dans un saladier avec thym, laurier, vin blanc et madère. Couvrir avec une assiette, laisser mariner le tout une nuit au frais.

Saler et poivrer les foies de volaille. Les faire revenir vivement à la poêle dans 5 cl. d'huile, les égoutter, les réserver au frais.

Hacher pas trop fin (au hachoir électrique) gorge et échine de porc. Mélanger cette farce dans un saladier avec le jus de la marinade, les deux œufs entiers et la crème fraîche. Bien travailler avec une spatule en bois.

Tapisser l'intérieur d'une terrine avec les bardes de lard. Garnir à mi-hauteur avec la farce. Disposer les foies de volaille au centre. Emplir la terrine avec le reste de farce. Disposer sur le dessus une barde de lard, mettre le couvercle ou recouvrir éventuellement de papier aluminium.

Cuire la terrine à four chaud 200°C (thermostat 6-7) au bain-marie pendant 1 heure 30 minutes à 2 heures selon sa grosseur. La terrine est cuite lorsque la graisse qui remonte à la surface est bien clarifiée (limpide).

A la sortie du four, presser la terrine 2 heures environ afin que tous les éléments restent bien soudés ensemble : disposer une planchette de bois surmontée d'un poids.

Réserver la terrine au frais. Se présente entière sur le buffet et se coupe au fur et à mesure des besoins. Peut également se servir tranchée sur un plat long accompagnée de gelée hachée.

Rillettes de lapin

1 terrine
(20 portions environ) ✗✗ ⚭
Prép. : 1 h. Cuiss. : 1 h 20 mn. à 1 h 40 mn.
Dessalage : 12 à 24 h.

1,5 kg. de lapin
800 g. de poitrine de porc salée
200 g. d'oignons
3 gousses d'ail
1 dl. de vin blanc
1 bouquet garni
1 œuf
Sel, poivre.

Mettre la veille la poitrine de porc à dessaler.

Disposer dans une cocotte le lapin, le lard dessalé, le tout coupé en morceaux, les oignons en rondelles et l'ail écrasé. Poivrer légèrement, mouiller avec le vin blanc et autant d'eau. Cuisson lente à couvert pouvant varier suivant la qualité du lapin.

Après cuisson, lorsque la préparation est encore tiède, désosser le tout et passer au hachoir (ou mixer) avec oignons et ail, mélanger bien le tout avec un œuf entier à la spatule en bois. Ajouter du jus de cuisson afin d'obtenir des rillettes pas trop sèches, goûter pour un complément éventuel de sel (poitrine salée au départ).

Remplir une terrine légèrement beurrée de cette préparation. Passer à four chaud (200°, thermostat 8) pendant une vingtaine de minutes. Le dessus des rillettes doit être légèrement coloré.

Dartois Saint-Antoine

8 pers. ✗✗✗ ○
Prép. : 1 h 20 mn. Cuiss. : 30 mn.

400 g. de « base farine » en pâte
feuilletée (p. 163)
2 œufs
150 g. d'échine de porc
150 g. d'épaule de veau
150 g. de gorge de porc
3 cl. de porto
1 cuillerée de persil haché
30 g. d'échalote
Sel, poivre et muscade.

Réaliser la pâte feuilletée.

Détailler en petits dés les parties maigres de l'échine de porc et de l'épaule de veau (la moitié environ). Hacher le restant avec la gorge de porc, ajouter les dés de viande, un œuf entier, le porto, le persil haché et l'échalote ciselée. Assaisonner de sel, poivre et muscade. Réserver cette farce.

Abaisser la pâte feuilletée en rectangle (environ 3 mm d'épaisseur). Tailler deux bandes de 10 à 12 cm de large. Passer à la dorure le pourtour d'une bande, étaler sur la partie centrale la farce. Plier la seconde bande de pâte feuilletée en deux dans le sens de la longueur et y faire des entailles au couteau, en biais, du côté du pli en laissant intacts 2 cm de pâte de l'autre côté (intervalle 1 cm). Déplier cette bande et la poser sur la première. Appuyer sur les bords pour bien souder les deux abaisses. Egaliser les bords avec un couteau, chiqueter. Passer le dessus à la dorure.

Cuire à four chaud (220°, thermostat 7-8) pendant 30 minutes environ (réduire la température à mi-cuisson).

CONSEIL

- Pour confectionner ce dartois, voir les photos de la recette « Jalousie kiwis fraises » (page 124).

- Autres garnitures sulées possibles : anchois, fruits de mer, volaille émincée et béchamel, champignons, farce à base de canard.

- Le nom dartois viendrait du vaudevilliste François-Victor Dartois très connu au XIVe siècle.

- Approximativement l'assaisonnement de la farce à terrine ou pâté est toujours problématique. Le recours à la balance reste le moyen le plus sûr (18 g. de sel au kg. de viande net).

- Pour donner plus de parfum aux terrines et pâtés, il est courant de mettre les viandes utilisées (porc, veau, volaille) à mariner. Pour cela elles sont taillées en gros cubes, assaisonnées (sel, poivre, muscade, girofle, etc.), aromatisées (thym, laurier, fines herbes, échalotes, etc.) et accompagnées d'alcool (madère, porto, cognac, vin blanc, etc.). Il faut compter 5 cl. à 1 dl. par kg. de viande.

- Mixer et hachoir électriques sont très pratiques pour réaliser les farces pour terrines. Pour être savoureuses, ces farces ne doivent pas être hachées trop menu, il faut donc rester attentif durant cette opération, les appareils utilisés étant puissants et rapides.

Aiguillette de bœuf bourgeoise en gelée

8 pers.   ✗✗   ∞
Prép. : 1 h 20 mn. Cuiss. : 2 à 3 h.
Marinade : 12 à 24 h.

1 aiguillette de bœuf (1,5 à 2 kg.)
2 pieds de veau
200 g. de poitrine de porc salée
700 g. de carottes
100 g. de gros oignons
200 g. de petits pois surgelés
1 cuillerée à soupe de tomate
concentrée
5 cl. d'huile
1 lit. de vin rouge
50 g. de beurre
4 gousses d'ail
1 dl. de gelée
1 clou de girofle
1 bouquet garni
Quelques grains de poivre
Sel.

Mettre à mariner une nuit l'aiguillette de bœuf avec les gros oignons et 100 g. de carottes coupées en gros dés, le vin rouge, l'ail écrasé, le clou de girofle et quelques grains de poivre.

Blanchir les pieds de veau fendus en deux.

Egoutter la pièce de viande, la faire revenir vivement à l'huile avec les dés de carottes et d'oignons, dégraisser, mouiller avec la marinade et ses aromates, saler, ajouter tomate concentrée et pieds de veau (compléter éventuellement avec un peu d'eau). Amener à ébullition, puis cuire 2 à 3 heures (selon la qualité de la viande) à four chaud 200° (thermostat 6-7).

Eplucher et tailler 600 g. de carottes en dés réguliers, les cuire à couvert avec de l'eau à hauteur, 50 g. de beurre et du sel.

Cuire rapidement à l'eau bouillante salée les petits pois surgelés, les tenir très verts, égoutter, rafraîchir et réserver.

Découenner et détailler la poitrine de porc salée en petits lardons, blanchir, rafraîchir et faire revenir rapidement dans un peu d'huile à la poêle, égoutter et réserver.

Vérifier le degré de cuisson en piquant la viande avec une aiguille. Egoutter l'aiguillette, la réserver. Retirer les pieds de veau (qui ont amené l'élément gélatineux à la sauce).

Laisser réduire la sauce si nécessaire, il doit en rester environ 1 lit., écumer, rectifier l'assaisonnement, la passer. Adjoindre les dés de carottes égouttés, les petits pois et les lardons.

Disposer l'aiguillette dans un saladier ou dans une terrine de forme ronde ou ovale. Remplir le récipient choisi avec de la sauce à hauteur de la viande.

Laisser prendre en gelée au froid. Lustrer avec la gelée froide mais rafraîchie. Réserver au réfrigérateur. Se présente tel quel sur le buffet. Couper au fur et à mesure des besoins.

Jambon persillé

8 pers. ✕✕ ∞
Prép. : 1 h. Cuiss. : 2 h 30 mn.
Dessalage : 12 à 24 h.

*1 kg. de porc salé (jambon ou
épaule)*
2 pieds de veau
2 couennes de porc fraîches
1 oignon
1 branche d'estragon
1 bouquet garni
2 gousses d'ail
2 échalotes
1 poignée de persil plat ciselé
4 dl. de vin blanc sec
3 cuillerées de vinaigre de vin
1 clou de girofle
Poivre.

La veille, mettre le morceau de
porc à dessaler à l'eau froide.

Faire blanchir le morceau de
porc, porter à ébullition. Jeter
l'eau, rafraîchir et égoutter.

Mettre en cuisson dans un récipient assez haut avec les pieds de
veau fendus, les couennes de porc
ficelées, l'oignon piqué d'un clou de
girofle, l'ail, l'estragon, l'échalote
et le bouquet garni. Mouiller avec
le vin blanc et terminer le mouille-
ment à hauteur avec de l'eau
froide (ne pas saler). Cuisson à
couvert 2 heures 30 minutes environ à petits frémissements. Le porc
doit pouvoir s'écraser à la fourchette, en mélangeant le gras et le
maigre. Laisser tiédir dans la cuisson.

Ecraser le porc à la fourchette.
Poser une partie dans un saladier,
parsemer de persil ciselé, remettre
du porc écrasé puis du persil et
ainsi de suite. Terminer avec une
couche de persil plus épaisse.

Passer le jus de cuisson, rectifier
l'assaisonnement (poivre). Ajouter
le vinaigre. Verser dans le saladier
sur le jambon persillé. La gelée doit
être transparente.

Laisser prendre en gelée au froid
en posant une assiette surmontée
d'un poids, qui pesant sur la
masse, tassera le jambon.

Gâteau aux noix

8 pers. ✗✗ ◯◯
Prép. : 45 mn. Cuiss. : 45 mn.

Biscuit :
180 g. de sucre semoule
100 g. de beurre
3 jaunes d'œufs
5 blancs d'œufs
100 g. de cerneaux de noix
concassés
100 g. de farine
1 demi-paquet de levure.

Crème pâtissière :
1/4 lit. de lait vanillé
2 jaunes d'œufs
50 g. de sucre
25 g. de farine.

Finition :
2 dl. de crème fraîche
50 g. de sucre semoule
5 cl. de rhum
50 g. de cerneaux de noix en
poudre
Quelques cerneaux de noix entiers
pour la décoration
Sucre glace (facultatif).

Biscuit : Bien mélanger le sucre et le beurre ramolli, ajouter les jaunes puis les cerneaux de noix, tamiser la farine sur le mélange, ajouter la levure.

Monter les blancs en neige, les ajouter à la pâte en la « coupant » avec une spatule, surtout ne plus fouetter.

Mettre la pâte dans un moule à génoise beurré et fariné.

Cuire à four doux (150°, thermostat 5) pendant 45 minutes.

Démouler le biscuit, laisser refroidir.

Crème : Verser le lait bouillant vanillé sur le mélange jaunes d'œufs, sucre, farine, amener à ébullition pour quelques secondes.

Monter la crème chantilly, ajouter 50 g. de sucre. La mélanger délicatement avec la précédente crème refroidie.

Finition : Couper le biscuit dans le sens de la hauteur en trois « étages », imbiber avec le rhum. Etaler la crème entre chaque cou-

che de biscuit et autour de l'entremets, masquer le tour avec les noix concassées finement.

Sur le dessus, finir avec de la crème ou du sucre glace, décorer avec quelques cerneaux entiers. Servir frais.

Mille-feuille aux framboises

8 pers. ✗✗ ◯◯◯
Prép. : 1 h 20 mn. Cuiss. : 15 mn.

400 g. de « base farine » en pâte
feuilletée (p. 163)
1/2 lit. de lait
4 jaunes d'œufs
100 g. de sucre semoule
50 g. de farine
1 gousse de vanille
5 cl. de kirsch
150 g. d'amandes hachées
100 g. de sucre glace
500 g. de framboises.

Réaliser la pâte feuilletée.

Abaisser le feuilletage assez mince en forme de rectangle, le disposer sur une plaque à pâtisserie légèrement humide, le piquer abondamment avec une fourchette. Cuire à four très chaud (250°, thermostat 8-9) pendant 5 minutes environ, terminer la cuisson à four chaud (200°, thermostat 6-7) pendant 12 à 15 minutes.

Réaliser la crème pâtissière : verser le lait bouillant vanillé sur le mélange jaunes d'œufs, sucre semoule, farine, amener à ébullition pour quelques secondes, ajouter le kirsch.

Faire griller les amandes hachées.

Couper le feuilletage en trois parties égales dans le sens de la longueur. Masquer de crème pâtissière, la « première bande » de feuilletage, parsemer de framboises, couvrir de la « deuxième bande » de feuilletage. Recommencer la même opération pour la troisième bande de feuilletage, face

lisse à l'extérieur (réserver la bande la plus jolie pour ce « dernier étage »).

Parer légèrement le mille-feuille à l'aide d'un couteau scie, masquer tout le tour avec le restant de crème pâtissière, disposer les amandes grillées sur les parois du gâteau. Saupoudrer abondamment de sucre glace, certains réalisent alors un quadrillage au fer rouge, décorer avec le reste de framboises.

CONSEIL

- Le feuilletage doit être bien cuit et croustillant.

- Ce gâteau sera meilleur s'il ne séjourne pas au réfrigérateur, la sauce melba (page 148) s'impose comme accompagnement.

1. Egaliser le tour du mille-feuille.

2. Enduire les 4 côtés de crème pâtissière et y faire adhérer les amandes.

3. Saupoudrer de sucre glace et réaliser un quadrillage au fer rouge.

Brioche parisienne garnie aux fraises

8 pers. ✖✖ ∞
Prép. : 1 h 30 mn. Cuiss. : 30 mn.
Repos de la pâte : 12 à 24 h.

250 g. de « base farine » en pâte à brioche « fine » (200 g. de beurre)
40 g. de beurre
5 cl. de kirsch
500 g. de fraises
1/2 lit. de lait
1 gousse de vanille
4 jaunes d'œufs
100 g. de sucre semoule
50 g. de farine
4 dl. de crème fleurette
50 g. de sucre glace.

Préparer la veille de préférence la pâte à brioche (voir page 164).

Rompre la pâte, prélever une boule de 40 g. environ. Rouler le reste de la pâte entre les mains, la déposer dans un moule à côtes beurré. Rouler les 40 g. de pâte pour la façonner en forme de poire. Faire un trou au sommet de la grosse boule et y enfoncer la partie pointue de la petite boule, appuyer du bout des doigts.

Laisser doubler de volume à la température ambiante pendant 1 heure 30 minutes environ.

Faire de petites incisions dans la grosse boule du bord vers la tête, à l'aide d'un ciseau mouillé. Passer la dorure à l'aide d'un pinceau. Cuire 30 minutes environ au four 200° (thermostat 6-7). Démouler la brioche encore tiède.

Faire la crème pâtissière : verser le lait bouillant vanillé sur le mélange jaunes d'œufs, sucre semoule et farine, amener à ébullition pour quelques secondes. Laisser refroidir.

Faire la crème chantilly : monter la crème fraîche, saupoudrer de sucre glace.

Trier et laver les fraises. Mélanger délicatement la crème chantilly à la crème pâtissière refroidie, parfumer avec 2 cl. de kirsch.

Evider délicatement la brioche parisienne refroidie en réservant la tête, conserver au fond et à la paroi une épaisseur de 1,5 cm environ.

Faire fondre 40 g. de beurre, ajouter 3 cl. de kirsch. Arroser de ce mélange l'intérieur de la brioche à l'aide d'un pinceau.

Emplir de fraises délicatement mêlées à la crème. Décorer le sommet avec des fraises. Maintenir « la tête de la brioche » entrebaîllée sur l'ensemble avec un petit pique en bois. Servir très frais.

Brioche parisienne tiède antillaise

8 pers. ✖✖ ∞
Prép. : 1 h 10 mn. Cuiss. : 30 mn.
Repos de la pâte : 12 à 24 h.

250 g. de « base farine » en pâte à brioche fine (200 g. de beurre)
150 g. de beurre
5 cl. de rhum
1 boîte d'ananas
4 bananes mûres mais fermes.

Préparer la veille de préférence la pâte à brioche (voir page 164).

Mouler, laisser pousser et cuire la brioche parisienne comme pour la recette précédente : brioche parisienne garnie aux fraises.

Laisser refroidir complètement la brioche. L'évider en tranchant le haut et en conservant au fond et à la paroi une épaisseur de 1,5 cm environ. Couper la mie retirée en cubes réguliers (2 cm de côté environ), les faire dorer dans 100 g. de beurre.

Faire réduire des 3/4 le sirop de la boîte d'ananas, parfumer au rhum. Arroser de ce mélange l'intérieur de la brioche à l'aide d'un pinceau.

Couper les ananas en dés, et les bananes en rondelles. Passer ces deux fruits dans 50 g. de beurre mousseux quelques minutes, ils doivent rester fermes, puis les mettre dans le reste de sirop réduit. Ajouter les cubes de brioche, mélanger délicatement, emplir la brioche avec ce mélange.

Recouvrir avec la partie enlevée et réchauffer au four au dernier moment.

D'autres fruits exotiques peuvent être utilisés dans cette recette : mangues, kiwis, oranges.

CONSEIL

La brioche parisienne peut être garnie avec des fraises des bois ou des framboises ou avec un panaché de fruits rouges.

Jalousie kiwis fraises

8 pers. ✗✗✗ ⚭
Prép. : 1 h 20 mn. Cuiss. : 30 mn.

300 g. de « base farine » en pâte feuilletée (p. 163).

Crème d'amandes :
100 g. de beurre
100 g. de sucre semoule
4 jaunes d'œufs
100 g. de poudre d'amandes
3 cl. de rhum
Quelques gouttes d'extrait de vanille.

Finition :
1 œuf (dorure)
4 kiwis
400 g. de grosses fraises
3 cl. de rhum
50 g. de sucre semoule
30 g. de sucre glace.

Confectionner la pâte feuilletée, laisser reposer au frais.

Faire la crème d'amandes : mélanger énergiquement le sucre avec le beurre en pommade, ajouter les jaunes puis la poudre d'amandes. Parfumer avec rhum et vanille.

Abaisser la pâte feuilletée en rectangle (environ 3 mm d'épaisseur). Tailler deux bandes de 10 à 12 cm de large. Passer à la dorure le pourtour d'une bande, étaler sur la partie centrale la crème d'amandes. Plier la seconde bande de pâte feuilletée en deux dans le sens de la longueur et y faire des entailles régulières en biais avec un couteau tous les centimètres. Déplier cette bande et la poser sur la première. Appuyer sur les bords pour bien souder les deux abaisses. Egaliser les bords avec un couteau , chiqueter. Passer le dessus à la dorure. Cuire à four chaud (220°, thermostat 7-8) pendant 30 minutes environ (réduire la température à mi-cuisson). Glacer la jalousie en la saupoudrant de sucre glace 5 minutes avant la fin de la cuisson.

Eplucher les kiwis, laver et équeuter les fraises. Couper ces fruits en rondelles régulières et pas trop minces. Faire macérer dans un plat creux avec 50 g. de sucre semoule et 3 cl. de rhum.

A l'aide d'un couteau scie, couper délicatement le dessus de la jalousie. Ce travail est minutieux. Ranger les rondelles de fruits sur la crème d'amandes en les chevauchant légèrement. Alterner les couleurs. Poser délicatement le couvercle.

Plier la seconde abaisse de feuilletage en deux dans le sens de la longueur et y faire des entailles au couteau, en biais, du côté du pli en laissant intacts 2 cm de pâte de l'autre côté (intervalle 1 cm).

Chiqueter : pratiquer avec la pointe d'un couteau de légères entailles régulières et obliques sur les bords d'une double abaisse de feuilletage pour mieux souder, faciliter le gonflage à la cuisson et en parfaire la présentation.

- Utiliser les fraises de préférence

CONSEIL

- Mûr quand il est souple sous le doigt, le kiwi appelé aussi groseille de Chine est très riche en vitamines C.

- Utiliser les fraises de préférence en pleine saison quand elles sont abondantes et très parfumées. Les choisir rouges, bien brillantes, saines et fermes mais surtout odorantes.

Après cuisson, laisser refroidir la jalousie. A l'aide d'un couteau scie couper délicatement le dessus. Ce travail est minutieux.

Ranger les rondelles de fruits sur la crème d'amandes en les chevauchant légèrement. D'autres fruits peuvent être utilisés pour cette préparation (poires, pêches, ananas, framboises). Alterner toujours les couleurs.

Tarte Marguerite

8 pers.
Prép. : 1 h 10 mn. Cuiss. : 30 mn.

200 g. de « base farine » en pâte brisée sucrée (p. 163)
1/8ᵉ lit. de pâte à choux (p. 164)
1/4 lit. de lait vanillé
2 jaunes d'œufs
50 g. de sucre semoule
25 g. de farine
600 g. de fruits au sirop au choix (mirabelles, quetsches, bigar-reaux, ananas, poires, pêches, abricots)
1 kiwi
200 g. de « fruits rouges » (au choix, fraises, framboises, groseilles, mûres)
100 g. de confiture d'abricots ou de groseilles
Quelques gouttes de kirsch
1 œuf pour dorer.

Réaliser la pâte brisée. La laisser reposer au frais.

Fabriquer la pâte à choux.

Effectuer la crème pâtissière : verser le lait bouillant vanillé sur le mélange jaunes d'œufs, sucre, farine, amener à ébullition pour quelques secondes.

Foncer une grande tourtière (diamètre 25 cm environ), ne pas faire de rebord, piquer légèrement la pâte avec une fourchette, passer au jaune d'œuf dilué avec 1 demi-cuillerée d'eau. Faire 8 « sépara-tions » avec la pâte à choux à l'aide d'une poche et d'une douille unie moyenne, badigeonner de nouveau à l'œuf. Cuire 30 minutes environ dans un four chaud (200°, thermostat 6-7).

Etaler dans chaque « portion » un peu de crème pâtissière aroma-tisée au kirsch, disposer les fruits au sirop en intercalant les cou-leurs, napper avec la confiture d'abricots ou de groseilles (selon la couleur des fruits) tiédie, légère-ment détendue à l'eau.

Tarte aux abricots

8 pers.
Prép. : 40 mn. Cuiss. : 30 mn.

200 g. de « base farine » en pâte brisée sucrée (p. 163)
1 kg. d'abricots
2 dl. de lait
2 dl. de crème fraîche
2 œufs entiers
1 jaune d'œuf
50 g. de sucre semoule
1 demi-gousse de vanille
20 g. de sucre glace.

Réaliser la pâte brisée, la laisser reposer au frais, foncer une grande tourtière (diamètre 25 cm envi-ron), piquer légèrement la pâte avec une fourchette.

Laver et fendre les abricots en deux, les disposer sur la pâte. Cuire la tarte à four chaud (200°, thermostat 6-7).

Mélanger crème, lait, œufs en-tiers, jaune, sucre semoule et l'intérieur d'une demi-gousse de vanille.

Après 10 minutes de cuisson, napper la tarte avec cette prépara-tion. Saupoudrer la surface de sucre glace 5 minutes avant la fin de cuisson, afin de « caraméliser légèrement ». Cuisson totale 30 minutes environ.

Tarte aux poires amandine

8 pers. ✗ ∞
Prép. : 1 h. Cuiss. : 30 mn.

200 g. de « base farine » en pâte
brisée sucrée (p. 163)
4 poires
1 citron
1 gousse de vanille
570 g. de sucre semoule
1/3 lit. de lait
2 jaunes d'œufs
5 cl. de rhum
35 g. de farine
70 g. d'amandes en poudre
100 g. de confiture d'abricots.

Peler les poires, les couper en deux, retirer les pépins, les citronner. Faire bouillir 1 lit. d'eau avec 500 g. de sucre et une demi-gousse de vanille, plonger les poires dans ce sirop frémissant, terminer le pochage sur « le coin du feu » (temps de cuisson variable en fonction de la qualité des poires). Conserver les poires dans le sirop jusqu'au complet refroidissement.

Réaliser la pâte brisée. La laisser reposer au frais, foncer une grande tourtière (diamètre 25 cm), piquer la pâte avec une fourchette.

Faire bouillir 1/3 lit. de lait avec une demi-gousse de vanille. Bien mélanger dans un saladier 35 g. de farine, 2 jaunes d'œufs et 70 g. de sucre semoule, verser le lait bouillant sur cette préparation. Faire bouillir le tout une vingtaine de secondes. Ajouter le rhum et les amandes en poudre.

Etaler cette crème sur la pâte, disposer dessus en les « enfonçant » les demi-poires égouttées. Cuisson 30 minutes environ dans un four chaud (200°, thermostat 6-7).

Lustrer la tarte avec la confiture d'abricots tiède.

Il est préférable que la cuisson des poires s'effectue la veille.

Hors saison, cette recette se réalise avec des poires en conserve.

Certains saupoudrent la tarte d'amandes effilées avant cuisson.

Tarte aux figues

8 pers. ✗ ∞
Prép. : 40 mn. Cuiss. : 20 mn.
Macération : 30 mn.

200 g. de « base farine » en pâte
brisée sucrée (p. 163)
1 kg. de figues fraîches
150 g. de sucre semoule
1 citron
250 g. de confiture d'abricots
5 cl. de rhum
1/4 lit. de crème fraîche.

Réaliser la pâte brisée, la laisser reposer au frais. Foncer une grande tourtière (diamètre 25 cm environ), piquer légèrement la pâte avec une fourchette. Disposer un papier aluminium sur la pâte. Cuire à « blanc » 15 à 20 minutes à four chaud (200°, thermostat 6-7), retirer le papier aluminium 5 minutes avant la fin de la cuisson.

Peler les figues fraîches, les couper en deux. Les faire macérer dans un plat creux pendant 30 minutes avec 100 g. de sucre semoule et le jus d'un citron.

Monter la crème fraîche en Chantilly, ajouter 50 g. de sucre semoule.

Tiédir la confiture d'abricots et la détendre avec le rhum.

Etaler la moitié de cette confiture dans le fond de la tarte, disposer les demi-figues égouttées. Napper avec le reste de confiture d'abricots. A l'aide d'une poche munie d'une douille cannelée moyenne, décorer la tarte avec la crème chantilly.

Charlotte aux poires

8 pers. ✗✗ ∞
Prép. : 50 mn.

Bavarois au lait :
3/4 lit. de lait
5 jaunes d'œufs
125 g. de sucre
6 feuilles de gélatine (10 g. environ)
1/4 lit. de crème fraîche
5 cl. de kirsch.

Finition :
200 g. de biscuits à la cuillère
4 poires au sirop en conserve (ou fraîches, voir alors pour la cuisson page 135 « Tarte aux poires amandine »).

Décor :
3 dl. de crème fraîche
8 bigarreaux confits.

Tapisser le tour d'un ou deux moules à charlotte (selon grosseur) avec les biscuits à la cuillère, couper ceux réservés pour le fond en biseau afin de former une rosace. Disposer au préalable un rond de papier sulfurisé dans le fond de chaque moule. Couper le bout arrondi des biscuits pour garnir le tour et raser ce qui dépasse du moule. Les moules à charlotte sont des moules hauts et droits.

Bavarois au lait :
Mettre la gélatine à tremper dans de l'eau froide. Mélanger les jaunes d'œufs avec le sucre jusqu'à ce que le mélange blanchisse, y verser le lait bouillant, chauffer progressivement sans faire bouillir en remuant avec une spatule en bois, la crème doit malgré tout « épaissir ». Egoutter, presser et adjoindre les feuilles de gélatine. Passer éventuellement, laisser refroidir sans « prendre ».

Monter la crème fraîche.

Mélanger délicatement la crème anglaise collée et la crème montée, sans fouetter, mais en « coupant »

avec une spatule en bois. Aromatiser avec le kirsch. Surtout ne pas laisser « prendre ».

Emplir les moules au tiers de bavarois, faire « prendre » au réfrigérateur. Disposer les poires coupées en quartiers, remplir à ras bord les moules avec le reste de bavarois.

Réserver au minimum 1 heure au frais. Démouler sur plats ronds (cerner le tour du moule avec un petit couteau). Décorer avec 3 dl. de crème fraîche montée, à l'aide d'une poche munie d'une douille cannelée moyenne, disposer les demi-cerises confites. Entreposer au réfrigérateur jusqu'au moment de servir.

Fruits de nos vergers en pastèque

8 pers. ✗ ∞
Prép. : 40 mn.

1 grosse pastèque
6 pêches
3 poires à chair tendre
3 pommes
10 abricots
300 g. de raisins noirs
300 g. de raisins blancs
300 g. de fraises
200 g. de framboises
100 g. de sucre semoule
3 cl. de kirsch
3 cl. de marasquin
1 citron
10 amandes fraîches (selon saison).

Découper « un chapeau en dents de loup » dans la pastèque afin que la partie restante soit assez grande pour être utilisée comme récipient de service. Réserver l'écorce au frais.

Evider la pastèque, éliminer les pépins, détailler la moitié de la pulpe en petites lamelles (le reste de la pulpe sera réservé pour un autre usage).

Eplucher pêches, poires et pommes, les tailler en cubes ou en

lamelles, citronner. Couper les abricots en morceaux.

Réunir tous ces fruits, fraises, framboises et les grains de raisin dans un grand saladier, ajouter sucre, kirsch et marasquin. Agiter légèrement le saladier afin de mélanger les fruits. Laisser macérer au frais pendant 1 heure.

Verser délicatement la salade de fruits dans l'écorce de pastèque, l'entourer de glace pilée et décorer le dessus avec fraises, framboises et grains de raisin. Selon la saison on peut compléter la décoration avec des amandes fraîches pelées et coupées en deux.

CONSEIL

A l'achat la pastèque doit être lourde et ne pas sonner creux. Les fruits en général doivent être minutieusement choisis pour confectionner une salade : mûrs car autrement insipides et fermes afin d'éviter « la marmelade ».

Entremets aux ananas

8 pers.   ✗✗ ∞
Prép. : 30 mn. Cuiss. : 25 mn.

Génoise :
125 g. de farine
125 g. de sucre
4 œufs
60 g. de beurre.

Finition :
200 g. de confiture d'abricots
100 g. d'amandes hachées
1 dl. de kirsch
5 cl. d'eau
50 g. de sucre semoule
1 ananas frais ou 1 boîte 4/4
d'ananas au naturel
10 cerises confites.

Monter à l'aide d'un fouet les 125 g. de sucre et les 4 œufs au bain-marie (sur une casserole d'eau très chaude), la température du mélange ne doit pas dépasser 50°C. Une fois le mélange bien « mousseux », continuer à fouetter hors du feu jusqu'à complet refroidissement. Ajouter alors la farine en coupant délicatement avec une spatule en bois, puis le beurre fondu. Verser dans un moule à génoise beurré et fariné (4 à 5 cm d'épaisseur).

Cuire à four doux (150° environ, thermostat 4-5) pendant 25 minutes environ. Après cuisson, démouler sur une grille.

Couper l'ananas en fines tranches, le faire macérer avec 5 cl. de kirsch.

Faire bouillir 5 cl. d'eau avec 50 g. de sucre, adjoindre 5 cl. de kirsch à ce sirop.

Faire griller les amandes.

Mettre à tiédir la confiture légèrement détendue à l'eau.

Couper horizontalement la génoise en trois parties, imbiber les trois « disques » de génoise avec le sirop à l'aide d'un pinceau.

A l'aide d'un pinceau, napper de confiture le premier disque, garnir de tranches d'ananas, mettre le deuxième disque, napper de confiture, ajouter des tranches d'ananas, couvrir avec le troisième disque de génoise, le lustrer à la confiture, masquer le pourtour avec les amandes. Décorer le dessus avec des demi-rondelles d'ananas et des cerises confites, lustrer à la confiture.

Peler une grosse orange de forme régulière en laissant subsister « la peau blanche ».
Couper une tranche bien régulière de 1 cm environ d'épaisseur, détacher minutieusement avec les doigts chaque petit triangle formé par segments. Retourner chaque triangle vers l'extérieur sans briser « la peau blanche ».

Tailler une seconde tranche de même épaisseur. Parer à vif. Poser délicatement au centre de l'étoile.

Salade de fruits ivoirienne

8 pers. ✕ ∞
Prép. : 40 mn.

1 ananas
1 pamplemousse
2 bananes
3 kiwis
2 oranges
300 g. de sucre de canne
1 dl. d'eau
5 cl. de rhum.

Couper l'ananas en deux dans le sens de la longueur sans enlever la couronne de feuilles. L'évider et couper la chair en dés.

Eplucher tous les fruits, couper bananes et kiwis en rondelles, détailler oranges et pamplemousse en quartiers.

Mélanger tous les fruits dans un saladier.

Faire un sirop avec le sucre de canne, l'eau et le rhum. Laisser bouillir quelques minutes, verser bouillant sur les fruits, remuer délicatement.

Remplir les moitiés d'ananas évidés avec cette salade de fruits. Servir très frais. Décorer avec des étoiles en orange.

CONSEIL

- *La salade de fruits est un dessert rafraîchissant de base sur un buffet.*

- *Pensez à la présenter d'une façon originale, dans certains gros fruits évidés : ananas, melons, noix de coco, pastèques, etc.*

Tarte « recouverte » aux fraises

8 pers. ✗✗ ∞

Prép. : 1 h 20 mn. Cuiss. : 30 mn.

200 g. de « base farine » en pâte brisée sucrée (p. 163)
1/8ᵉ lit. de pâte à choux (p. 164).

Crème pâtissière :
1/4 lit. de lait vanillé
50 g. de sucre semoule
25 g. de farine
2 jaunes d'œufs.

Crème chantilly :
1/4 lit. de crème fraîche
50 g. de sucre semoule.

Finition :
50 g. d'amandes effilées
700 g. de fraises mûres à point
50 g. de sucre glace
3 cl. de kirsch.

Réaliser la pâte brisée, la laisser reposer au frais, foncer une grande tourtière (diamètre 15 cm), piquer la pâte avec une fourchette.

Confectionner la pâte à choux.

Réaliser la crème pâtissière : verser le lait bouillant vanillé sur le mélange jaunes d'œufs, sucre, farine, amener à ébullition pour quelques secondes.

Foncer une tourtière de pâte brisée.

Mélanger la pâte à choux avec la moitié de la crème pâtissière, verser ce mélange sur la pâte, égaliser, parsemer avec les amandes effilées. Cuire au four (210°, thermostat 6-7) 30 minutes. Attention, la cuisson de cette tarte est assez longue, la pâte à choux doit être cuite, augmenter éventuellement le temps de cuisson dans un four moins chaud. Laisser refroidir.

Laver et équeuter les fraises. Monter la crème chantilly, la sucrer.

A l'aide d'un couteau à lame flexible, couper délicatement le dessus de la tarte, ce travail est minutieux. Retirer éventuellement à l'aide d'une cuillère la pâte à choux non cuite.

Garnir avec le restant de crème pâtissière parfumée avec le kirsch. Disposer les fraises. Quadriller à l'aide d'une poche à douille cannelée avec la crème chantilly. Poser délicatement le couvercle. Saupoudrer de sucre glace. Servir très frais.

140

les Sauces d'accompagnement

« Les sauces et les coulis sont l'orchestration et l'accompagnement d'un fin repas, et comme le motif qui permet à un bon chef ou à un bon cordon-bleu de faire valoir son talent ».

CURNONSKY.

Sauce mayonnaise

8 pers.   ✗ ○
Prép. : 10 mn.

25 cl. d'huile
1 jaune d'œuf
1 cuillerée à café de moutarde
Quelques gouttes de vinaigre
Sel, poivre.

Réunir dans un saladier jaune d'œuf, sel, poivre, moutarde et vinaigre.

Incorporer lentement l'huile en remuant à l'aide d'un petit fouet.

Vérifier l'assaisonnement.

Ne jamais conserver la sauce dans un lieu trop froid (l'huile figeant).

Sauce cocktail

8 pers.   ✗ ○
Prép. : 10 mn.

25 cl. de mayonnaise très épaisse
1 cl. de cognac
5 cl. de ketchup
Quelques gouttes de sauce anglaise.

Mélanger tous les ingrédients.

Sauce bourguignonne

8 pers.   ✗ ○
Prép. : 20 mn. Cuiss. : 10 mn.

25 cl. de mayonnaise
20 g. d'échalote
1 dl. de vin rouge
5 cl. de crème fraîche.

Faire réduire presque complètement le vin et les échalotes ciselées. Laisser refroidir.

Monter la crème fraîche.

Incorporer la crème montée et la réduction à la mayonnaise.

Sauce andalouse

8 pers.   ✗ ○
Prép. : 20 mn. Cuiss. : 20 mn.

25 cl. de mayonnaise
200 g. de tomates fraîches
2 cl. d'huile
1 gousse d'ail
20 g. d'échalote
1 petit bouquet garni
40 g. de poivron rouge ou piment
40 g. de poivron vert
Sel, poivre.

Monder les tomates à l'eau bouillante, épépiner, hacher.

Faire suer l'échalote ciselée à l'huile sans coloration. Ajouter tomate, ail et bouquet garni. Assaisonner. Laisser cuire jusqu'à évaporation complète de l'eau.

Couper les poivrons, les passer 5 à 10 minutes au four chaud afin de pouvoir retirer la peau. Détailler en dés.

Incorporer purée de tomate et dés de poivron à la mayonnaise.

Sauce tartare

8 pers.   ✗ ○
Prép. : 20 mn.

25 cl. de mayonnaise
30 g. de câpres
50 g. d'oignons
50 g. de cornichons
2 cuillerées à soupe de persil haché
1 cuillerée à café d'estragon haché
1 cuillerée à café de cerfeuil haché.

Hacher câpres, cornichons et oignons, presser le tout dans un torchon pour exprimer le maximum de liquide.

Ajouter à la mayonnaise ainsi que persil, estragon et cerfeuil hachés.

Sauce chantilly

8 pers.   ✗ ○
Prép. : 15 mn.

25 cl. de mayonnaise au citron très épaisse
10 cl. de crème fraîche.

Monter la crème fraîche très ferme.

Juste avant l'emploi, incorporer la moitié de la crème montée à la mayonnaise.

Décorer le dessus de la saucière avec le reste de crème fouettée à l'aide d'une poche munie d'une douille cannelée.

Sauce verte

8 pers.   ✗ ○
Prép. : 15 mn.

25 cl. de mayonnaise
20 g. de persil, cerfeuil et estragon
20 g. de cresson
20 g. de feuilles d'épinards.

Blanchir vivement à l'eau bouillante fines herbes, cresson et feuilles d'épinards.

Egoutter, presser, réduire ces herbes en purée.

Incorporer cette purée à la mayonnaise.

CONSEIL

Les ingrédients pour fabriquer une mayonnaise doivent être tous à température ambiante.

Comment remonter ces sauces « tournées » ?

En incorporant petit à petit la sauce tournée :
- à un nouveau jaune ou
- à un peu de moutarde ou
- à quelques gouttes de vinaigre ou
- à quelques gouttes d'eau.

Sauce au roquefort

8 pers.   ✗ ◯◯
Prép. : 20 mn.

80 g. de roquefort
6 petits suisses
5 cl. de crème fraîche
1 cuillerée à café de cognac
30 g. de cerneaux de noix hachés
Sel, poivre.

   Ecraser le roquefort à la fourchette. Incorporer les petits suisses
et bien mélanger.
   Ajouter crème fraîche, cognac,
noix hachées. Assaisonner.
   Bien remuer et réserver au frais
jusqu'au moment de servir.

Sauce marmandaise

8 pers.   ✗ ◯
Prép. : 20 mn.

500 g. de tomates bien mûres
5 cl. d'huile d'olive
1 cuillerée à soupe de basilic
haché
Poivre noir grossièrement moulu
Sel.

   Monder les tomates, les couper
en deux, enlever l'eau et les pépins.
   Passer la pulpe au mixer.
   Incorporer à la pulpe obtenue, le
sel, le poivre noir, le basilic et
l'huile. Bien mélanger.

   Cette sauce ne peut se réaliser
qu'en pleine saison des tomates
afin d'utiliser des fruits parfumés,
bien rouges et bien mûrs.

Sauce rouille

8 pers.   ✗✗ ◯◯◯
Prép. : 20 mn. Cuiss. : 20 mn.

20 cl. d'huile d'olive
2 gousses d'ail
Quelques pistils de safran
100 g. de pommes de terre
1 cuillerée à soupe de jus de citron
1 jaune d'œuf
Sel, poivre.

   Cuire les pommes de terre avec
la peau, éplucher, réduire en purée.
   Bien mélanger dans le mortier
cette pulpe avec le jaune d'œuf,
l'ail, le safran, assaisonner.
   Monter à l'huile d'olive (en petit
filet).
   « Détendre » avec le jus de citron.
   Il existe de nombreuses autres
recettes de rouille.

Sauce bulgare

8 pers.   ✕ ○
Prép. : 10 mn.

2 yaourts natures (25 cl.)
1 cuillerée à café de paprika
1 cuillerée à café de jus de citron
1 cuillerée à café de cerfeuil haché
1 cuillerée à café de ciboulette
Sel, poivre.

Mélanger tous les ingrédients.

Cette sauce servira surtout pour condimenter certaines salades composées.

Sauce « sevruga »

8 pers.   ✕ ○○○
Prép. : 10 mn.

2 dl. de crème légèrement montée
50 g. d'œufs de saumon
2 cuillerées à potage de ciboulette
3 cl. de vodka
Sel, poivre.

Mélanger tous les ingrédients, assaisonner.

Cette sauce s'associe très bien avec les poissons fumés.

Sauce suédoise

8 pers.   ✕ ○
Prép. : 20 mn.

3 dl. de crème légèrement montée
2 jaunes d'œufs durs
2 jaunes d'œufs crus
1 cuillerée à potage de moutarde
1 cuillerée à potage de vinaigre
1 demi-cuillerée à café de paprika
1 branche d'aneth
Sel.

Ecraser les jaunes d'œufs durs, mélanger les jaunes d'œufs crus. Ajouter sel, paprika, moutarde et vinaigre. Incorporer la crème et quelques brins d'aneth.

Cette sauce est assez relevée et accompagnera très bien les poissons froids.

Aïoli

8 pers.   ✕✕ ○
Prép. : 20 mn.

25 cl. d'huile d'olive
4 gousses d'ail
1 jaune d'œuf
1 citron
Sel, poivre.

Broyer dans le mortier bien finement l'ail.

Ajouter le jaune d'œuf, assaisonner.

Monter à l'huile (en petit filet) en faisant tournoyer vivement le pilon. Pendant ce montage rompre le corps de la sauce en y ajoutant petit à petit le jus de citron.

Anchoïade

8 pers.   ✕✕ ○○
Prép. : 20 mn.

25 cl. d'huile d'olive
2 gousses d'ail
50 g. de filets d'anchois à l'huile.

Broyer dans le mortier bien finement l'ail et les anchois.

Monter à l'huile (en petit filet) en faisant tournoyer vivement le pilon.

Certains ajoutent 40 g. de beurre en pommade à l'anchoïade pour mieux la stabiliser.

Sauce mexicaine

8 pers. ✗ ○
Prép. : 30 mn. Cuiss. : 1 h.

10 cl. de tomate concentrée
50 g. de beurre
80 g. de carottes
80 g. d'oignons
2 gousses d'ail
25 g. de farine
1 bouquet garni
200 g. de poivrons verts et jaunes
1 pincée de sucre
Sel, poivre.

Faire suer au beurre sans coloration carottes et oignons taillés en petits dés 10 minutes environ.

Ajouter farine et tomate concentrée, bien remuer, mouiller avec 3/4 lit. d'eau, adjoindre ail, bouquet garni, assaisonner. Cuire 1 heure à feu doux.

Couper les poivrons, les passer 5 à 10 minutes au four chaud afin de pouvoir retirer la peau. Détailler en dés.

Passer la sauce tomate, ajouter les dés de poivron.

Sauce hongroise

8 pers. ✗ ○
Prép. : 25 mn. Cuiss. : 10 mn.

100 g. d'oignons
2 dl. de vin blanc
1 cuillerée à café de paprika
50 g. de beurre
50 g. de farine
1 lit. de bouillon de volaille
1 dl. de crème (aigre si possible)
1 cuillerée à soupe de jus de citron
Sel, poivre.

Faire réduire complètement le vin, les oignons ciselés et le paprika. Réserver.

Faire un roux (50 g. de beurre, 50 g. de farine), mouiller avec le bouillon, fouetter, assaisonner, laisser cuire 10 minutes ce velouté.

Ajouter la réduction, la crème et le jus de citron. Cette sauce doit être rosée.

Sauce indienne

8 pers. ✗ ○○
Prép. : 30 mn. Cuiss. : 30 mn.

50 g. de beurre
50 g. de farine
100 g. d'oignons
1 cuillerée à potage de curry
1 demi-banane
1 demi-pomme fruit
30 g. d'amandes effilées
1 dl. de crème fraîche
300 g. de tomates fraîches
1 lit. de bouillon (volaille de préférence)
2 gousses d'ail
Sel.

Faire suer les oignons ciselés au beurre.

Ajouter farine et curry, bien remuer.

Adjoindre les tomates mondées, épépinées et concassées, mouiller avec le bouillon, ajouter l'ail haché, saler. Laisser cuire 20 minutes.

Ajouter crème fraîche, pomme taillée en petits dés et purée de banane. Remettre à cuire 10 minutes.

En finition, saupoudrer d'amandes effilées passées dans le curry.

Sauce portugaise

8 pers. ✗ ○
Prép. : 30 mn. Cuiss. : 1 h.

400 g. de tomates fraîches
5 cl. d'huile d'olive
2 bouquets garnis
2 gousses d'ail
50 g. d'échalotes
10 cl. de tomate concentrée
50 g. de beurre
80 g. de carottes
80 g. d'oignons
25 g. de farine
30 g. de persil ciselé
50 g. d'olives noires
Sel, poivre.

Faire suer au beurre sans coloration carottes et oignons taillés en petits dés 10 minutes environ.

Ajouter farine et tomate concentrée, bien remuer, mouiller avec 3/4 lit. d'eau. Adjoindre 1 gousse d'ail et 1 bouquet garni, assaisonner, 1 heure de cuisson à feu doux. Passer la sauce tomate.

Monder les tomates, épépiner et hacher.

Faire suer l'échalote ciselée à l'huile sans coloration. Ajouter les tomates, 1 gousse d'ail et 1 bouquet garni. Laisser cuire jusqu'à évaporation complète de l'eau.

Mélanger sauce tomate, tomate concassée, persil ciselé et olives noires dénoyautées coupées en rondelles.

CONSEIL

- Le paprika n'est pas un condiment fort (poudre de piment doux séché). Son utilisation est moins problématique que d'autres épices fortes (curry, harissa, cayenne).

- Pour la liaison avec un roux d'un liquide (lait pour la sauce béchamel par exemple) l'un des deux éléments doit être froid pour éviter la formation de grumeaux : généralement liquide bouillant sur roux froid.

Sauce chocolat

8 pers. ✗ ⚭
Prép. : 10 mn.

250 g. de chocolat à cuire
1 dl. de crème fraîche
1 dl. d'eau.

Faire fondre doucement le chocolat au bain-marie avec l'eau.

Après l'obtention d'une préparation assez lisse, ajouter la crème fraîche.

Conserver au bain-marie jusqu'au moment de servir.

La crème peut être remplacée par du beurre.
Cette sauce ne doit pas bouillir.

Coulis de cassis

8 pers. ✗ ○
Prép. : 20 mn.

250 g. de cassis
10 morceaux de sucre
5 cl. d'eau
1 citron.

Faire un sirop avec eau et sucre.

Laver les grains de cassis, broyer. Passer au chinois ou tamis fin.

Mélanger pulpe de cassis, sirop et jus de citron.

Cette sauce ou coulis peut se servir froide (pommes au four, ananas glacé, salade de fruits) ou chaude (mousse froide au citron, entremets au riz, charlotte).

Sauce abricot

8 pers. ✗ ○
Prép. : 10 mn. Cuiss. : 5 mn.

500 g. d'abricots dénoyautés
5 dl. d'eau
500 g. de sucre
1 cuillerée à soupe de fécule
3 cl. de kirsch.

Réduire en purée les abricots.

Faire bouillir avec eau et sucre pendant 5 minutes.

Ajouter la fécule délayée à l'eau froide.

Enlever du feu et parfumer au kirsch.

Utiliser des abricots bien mûrs.
Cette sauce accompagnera très bien des beignets.

Sauce maltaise

8 pers. ✗ ⚭
Prép. : 20 mn. Cuiss. : 2 mn.

3 oranges
50 g. de sucre semoule
1 feuille de gélatine
5 cl. de grand marnier
Quelques gouttes de colorant de carmin (facultatif).

Faire tremper la gélatine à l'eau froide.

Zester les oranges. Tailler les zestes en fine julienne. Presser les oranges.

Mesurer le jus d'orange, y ajouter la même quantité d'eau, le sucre et la julienne de zeste. Laisser cuire 2 minutes.

Ajouter hors du feu la gélatine et le grand marnier.

Cette sauce peut être colorée avec quelques gouttes de colorant carmin, notamment si les oranges ne sont pas assez sanguines.

Sauce caramel

8 pers. ✗✗ ○
Prép. : 20 mn.

150 g. de sucre en poudre
12 cl. d'eau
0,5 lit. de lait
1 bâton de vanille
3 jaunes d'œufs.

Préparer un caramel avec eau et sucre. Ajouter le lait bouillant et vanillé.

Mettre 3 jaunes dans un saladier et leur incorporer en fouettant la mélange lait - caramel.

Remettre le tout dans la casserole et laisser épaissir à feu doux. A consistance voulue, retirer du feu et laisser refroidir en remuant régulièrement.

Cette sauce n'est ni plus ni moins qu'une sauce anglaise au caramel. Elle se sert traditionnellement avec les pets de nonne.

Sauce melba ou coulis de framboises

8 pers. ✗ ⚭⚭
Prép. : 10 mn.

400 g. de framboises
100 g. de sucre glace
1 demi-citron.

Laver très délicatement les framboises. Les égoutter.

Les réduire en purée.

Ajouter le sucre glace et le jus d'un demi-citron.

Cette sauce peut également se réaliser avec : 250 g. de gelée de groseille légèrement fondue et relâchée avec 5 cl. de kirsch.
Ce coulis accompagnera avec bonheur un mille-feuille aux framboises.

les Boissons

1 bouteille de vodka = 12 consommations
1 bouteille apéritifs courants = 15 consommations
1 bouteille de porto = 15 consommations
1 bouteille de whisky - gin = 18 consommations
1 lit. de jus de fruits = 6 consommations
1 bouteille de Champagne = 6 personnes
1 lit. de vin = 4 personnes.

Voir page 20 « Composer le menu » où quelques exemples
d'accord des boissons et des mets sont donnés.

LES BOISSONS

Le choix des vins et des boissons diverses pour une réception est dicté par :
- le menu choisi,
- le budget,
- la région où l'on habite,
- le goût personnel et avant tout celui des convives,
- le style voulu pour la manifestation.

- Que la réception soit grande ou petite, sous forme de cocktail ou de lunch, il faudra toujours prévoir : eaux plates, eaux gazeuses et jus de fruits, les fabrications « maison » étant toujours appréciées.

- Ne pas oublier pailles et glaçons. Les verres doivent être prévus en nombre suffisant, 2 par personne minimum (la forme et la capacité étant adaptées à la boisson choisie).

- Selon l'importance de la réception, regrouper dans une partie du buffet ou sur une table à part tout ce qui concerne les boissons, éviter d'éparpiller verres, jus de fruits, eaux, champagnes, pailles, glaçons. Pour les invités, comme pour le service ce sera préférable.

- En règle générale, prévoir la boisson en quantité assez large. Il faut être généreux ! Rien n'est plus désagréable que de voir les verres des invités désespérément vides... Les boissons non consommées ne sont jamais perdues.

POUR LE COCKTAIL

Pour celui-ci le choix des boissons est assez limité : whisky, champagne ou crémant (vins « mousseux »), à un degré moindre vin blanc sec (type muscadet) et porto.

Penser à tout l'assortiment des « cocktails maison » qui personnalisent une réception.

POUR LE LUNCH

Dans le cadre d'un lunch il est possible de prévoir un apéritif. Outre les apéritifs classiques (anisés, vermouths, vins doux naturels, etc.), penser aux cocktails à base de vin.

Pour la boisson principale, le choix se portera essentiellement sur des vins rouges jeunes ; Beaujolais (primeurs, selon la saison), certains Côtes du Rhône, mais aussi des Bordeaux légers, des vins de Cahors, des Gamays régionaux, des vins de Touraine. La présentation en tonnelet est la mieux adaptée à la formule du buffet campagnard, prévoir alors des pichets en grès.

Eviter de servir plusieurs sortes de vins rouges, ainsi que des vins trop corsés.

Pour certaines réceptions, comportant du poisson notamment, il est envisageable de présenter un vin blanc sec ou un vin rosé seul ou en association avec un vin rouge : muscadet, gros plant, Alsace, Tavel, rosé de Provence, etc.

Dans certains cas le cidre, bouché ou non, sera apprécié.

Un homme sobre boit du vin ce qu'un homme sage prend d'amour, de quoi connaître l'extase et non l'ivresse.

Alfred de MUSSET

Les cocktails sont des mélanges en proportions variables de liqueurs, d'alcools, de vins, de sodas, de sirops, de jus de fruits ou de légumes, d'aromates, de lait et même d'œufs, dont le résultat doit être agréable au goût et à l'œil.

Les origines de leur patronyme semblent bien nébuleuses. L'explication la plus crédible est aussi la plus simple : le terme « Cocktail », « Queue de coq », serait une allusion aux couleurs multiples et chatoyantes que prennent les mélanges d'alcools et qui évoqueraient le plumage d'un coq ou d'un faisan.

Les cocktails sont apparus aux Etats-Unis vers la fin du XIXe siècle, lorsque les alcools de qualité se trouvèrent en bouteilles. Ils firent leur apparition à Paris dans les années 1880, mais connurent surtout une grande vogue entre les deux guerres, époque où l'on vit s'ouvrir des bars célèbres dans toutes les capitales européennes.

... à base de café

« Vacances à Rome »

8 pers.
Prép. : 20 mn.

6 dl. de café
100 g. environ de sucre semoule
Glace pilée
4 dl. de crème fraîche
1 pincée de cannelle
8 grains de café liqueur.

Monter la crème, ajouter 50 g. de sucre semoule et la cannelle.

Emplir 8 verres aux 3/4 de glace pilée, saupoudrer avec 50 g. de sucre, verser le café bouillant.

Décorer avec un dôme de crème chantilly à la cannelle. Placer sur le haut les grains de café liqueur.

... à base de thé

Punch au thé

8 pers.
Prép. : 15 mn.

8 doses de thé
1 citron
50 g. de sucre semoule
2 dl. de rhum.

Préparer le thé avec uniquement 2 dl. d'eau bouillante pour en éliminer le tanin, le laisser reposer, le passer.

Zester le citron, le tailler en fine julienne.

Ajouter au thé cette julienne, 6 dl. d'eau chaude et le sucre. Laisser refroidir et réserver au frais.

Pour le service mettre un glaçon dans chaque verre à pied, verser le rhum, puis le thé. Décorer éventuellement avec une rondelle de citron cannelé.

Mousseux, frais, pleins de vita-mines et de protéines les cocktails à base de lait sont d'excellentes boissons « santé ».

Il faut toujours leur réserver une petite place sur le buffet, ils seront appréciés avant tout par les invités les plus jeunes.

Cocktail à l'abricot

8 pers.
Prép. : 10 mn.

1 lit. de lait demi-écrémé
400 g. d'abricots bien mûrs
1 orange
50 g. de sucre en poudre
8 feuilles de menthe fraîche.

Presser l'orange.
Laver et dénoyauter les abricots.
Mixer les abricots, le sucre, le lait et le jus d'orange.
Verser dans des grands verres avec des glaçons. Décorer le bord de chaque verre avec une demi-rondelle d'orange cannelée, un pe-tit morceau d'abricot et une feuille de menthe.

Cocktail à la banane

8 pers.
Prép. : 10 mn.

1 lit. de lait
4 bananes
50 g. de sucre en poudre
1 jaune d'œuf
1 demi-citron
8 feuilles de menthe fraîche.

Eplucher et couper en rondelles les bananes.
Presser le demi-citron.
Mixer bananes, sucre, lait, jau-ne d'œuf et le jus du demi-citron.
Verser dans des grands verres avec des glaçons. Décorer le bord de chaque verre avec une tranche de citron cannelé, une rondelle de banane et une feuille de menthe.

Milk shake aux fruits rouges

8 pers.
Prép. : 10 mn.

1 lit. de lait
1 yaourt bulgare
50 à 100 g. de sucre en poudre
100 g. de fraises
100 g. de framboises
100 g. de cassis
100 g. de groseilles
1 orange.

Laver les fruits et équeuter les fraises.
Réduire en jus, orange, cassis et groseilles.
Mixer le lait, le yaourt bulgare, les fraises et framboises, les jus des trois autres fruits et 50 à 100 g. de sucre en fonction de l'acidité des jus de groseilles et de cassis.
Verser dans des grands verres avec des glaçons. Décorer le bord de chaque verre avec une tranche d'orange cannelée et quelques fruits rouges.

... à base de légumes

Les légumes seront choisis jeunes et très frais. Une fois épluchés et lavés, ils seront coupés en morceaux, hachés dans un appareil électrique, puis versés dans un mixer avec leur jus.

Ajouter alors de l'eau (gazeuse ou non) pour que la boisson ait la consistance désirée, des épices ou aromates et éventuellement du jus de citron.

Concombre et tomate cocktail

8 pers.   ✕ ○
Prép. : 25 mn.

600 g. de concombre
800 g. de tomates bien mûres
3 citrons
1 branche de basilic
1 à 2 dl. d'eau
Sel
Poivre de Cayenne.

Ebouillanter les tomates, leur retirer la peau, les épépiner.

Canneler le bout d'un concombre, détailler 8 tranches fines, réserver pour le décor des verres.

Eplucher le reste du concombre, fendre en deux, épépiner.

Canneler un citron, le détailler en 8 tranches fines, réserver pour le décor des verres. Presser les deux autres citrons.

Hacher puis mixer la pulpe de tomate et de concombre, saler et ajouter un soupçon de poivre de Cayenne. Détendre avec le jus des citrons et assez d'eau pour que la boisson ait la consistance voulue. Réserver au frais.

Servir dans des verres hauts, ajouter éventuellement des glaçons. Décorer avec du basilic, des tranches de concombre et de citron cannelés.

Cocktail quatre légumes

8 pers.   ✕ ○
Prép. : 25 mn.

300 g. de carottes nouvelles
300 g. de tomates bien mûres
5 oignons nouveaux
3 branches de céleri
2 citrons
Feuilles de menthe fraîche
1 à 2 dl. d'eau
Sel et poivre.

Ebouillanter les tomates afin de pouvoir retirer la peau, les épépiner.

Eplucher carottes, oignons, céleri et un citron.

Canneler l'autre citron, le détailler en 8 tranches fines, réserver pour le décor des verres ainsi qu'un petit oignon et une branche de céleri.

Hacher puis mixer pulpe de tomate, carotte, 4 oignons, 2 branches de céleri et 1 citron, saler, poivrer. Détendre avec assez d'eau pour que la boisson ait la consistance désirée. Réserver au frais.

Servir dans des verres hauts ajouter éventuellement des glaçons, décorer avec des feuilles de menthe fraîche, des tranches de citron cannelé, des bâtonnets de céleri branche et des rondelles d'oignon nouveau.

... alcoolisés

La composition des cocktails est infinie, chacun pouvant imaginer un mélange nouveau.

Tous ces cocktails doivent être agités avec une cuillère à café ou une cuillère à mélange (en plastique) et se servent très frais ou avec glace.

Ces 7 exemples de cocktails de base sont simples :

Gin Collin's

1 pers.

- 6 cl. de gin
- 2 cl. de jus de citron
- 1 cuillerée à café de sucre.

Américano

1 pers.

- 3 cl. de vermouth rouge
- 3 cl. de campari
- 1 demi-tranche d'orange cannelée
- 1 demi-tranche de citron cannelé.

Scotch Sour

1 pers.

- 6 cl. de whisky
- 2 cl. de jus de citron
- 1 cuillerée à café de sucre.

Ces 3 cocktails peuvent se rallonger à l'eau gazeuse et se servent alors avec une paille dans un verre droit et haut.

Bronx (verre à porto)

1 pers.

- 2,5 cl. de jus d'orange
- 2,5 cl. de vermouth rouge
- 2,5 cl. de whisky.

Bloody Mary

1 pers.

1 trait de Tabasco
1 trait de sauce anglaise
0,5 cl. de jus de citron
Sel de céleri
2 à 3 cl. de vodka
6 à 7 cl. de jus de tomate.

Verser les ingrédients dans un tumbler. Remuer.

Ajouter éventuellement une tranche de citron et un glaçon.

REMARQUE

Le "Bloody-Mary" a été inventé par Pete Petiot en 1921 au New-York Bar à Paris.

Dry Martini

1 pers. ⊙⊙

1 cl. de vermouth dry
5 cl. de gin.

Verser le vermouth et le gin dans le verre à mélange. Remplir de glaçons aux 2/3. Frapper rapidement avec la cuillère à mélange.
Servir dans le verre décoré d'un zeste de citron.

Manhattan

1 pers. ⊙⊙⊙

1 trait d'Angostura
2 cl. de vermouth italien (dry ou doux au choix)
4 cl. de rye whiskey.

Verser les ingrédients dans le verre à mélange. Remplir de glace. Remuer avec la cuillère à mélange.
Servir le tout dans un verre à cocktail. Décorer d'une cerise à l'eau-de-vie.

Daïquiri

1 pers. ○

0,5 cl. de sirop de sucre
2 cl. de jus de citron
4 cl. de rhum blanc.

Réunir tous les ingrédients dans un shaker rempli de glaçons. Frapper.
Verser dans un verre à cocktail.

B and B

1 pers. ⊙⊙

3 cl. de bénédictine
3 cl. de Brandy

Verser directement dans le verre à dégustation. Ajouter un glaçon. Remuer.

Brandy egg-nog

1 pers. ⊙⊙⊙

1 cuillerée à café de sucre
1 jaune d'œuf
4 cl de cognac.

Frapper les ingrédients au shaker rempli de glace. Verser dans un tumbler.
Compléter avec du lait. Saupoudrer de noix de muscade râpée.

Porto flip

1 pers. ⊙⊙⊙

1 cuillerée à café de sucre
1 jaune d'œuf
2 cl de cognac
4 cl de porto rouge.

Frapper énergiquement au shaker, avec de la glace.
Verser dans un double verre à cocktail. Saupoudrer de noix de muscade.

REMARQUE

On peut remplacer le porto par un autre alcool (vodka flip, cognac flip).

White lady

1 pers. ⚭

0,5 cl. de jus de citron
2 cl. de Cointreau
4 cl. de gin.

Utiliser le shaker avec glaçons.
Frapper.

Verser dans un verre à cocktail.

Tequila sunrise

1 pers. ◯

7 cl. de jus d'orange
4 cl. de tequila
1 trait de sirop de grenadine.

Verser le jus d'orange et la tequila dans un tumbler rempli de
glaçons. Remuer avec la cuillère à
mélange.

Finir avec un trait de grenadine
afin d'obtenir un dégradé.

REMARQUE

Les proportions sont généralement données pour 1 personne (6 à 7 cl. grand maximum). Vous multiplierez selon le nombre de verres à préparer.

N'oubliez jamais les gla-
çons qui sont la base de la
réussite de votre cocktail.

Les cups sont en général des long drinks à base de vin, servis sur glace et décorés de fruits, de légumes, de feuilles de menthe, etc.

Ils sont servis dans de grandes coupes, autrefois en argent, aujourd'hui plus modestement en verre ou en cristal.

Ils se préparent à l'avance et, pour cela, sont souvent choisis lors de réceptions. Les cups sont faciles à préparer. En principe, on laisse macérer la préparation pendant plusieurs heures dans le réfrigérateur. Elle s'additionne de vin ou de champagne bien frais au moment de servir. On sert le tout dans des verres à pied d'environ 20 à 25 cl., ou dans des verres à anse.

Rhum punch

10 pers.

250 g. de sucre ou de sirop de sucre de canne
1/2 bouteille de rhum ambré des Antilles
1/2 l. de jus d'ananas
Le jus de 3 oranges
Le jus de 3 citrons
1/2 l. de ginger ale.

Dans un cup, mélanger le jus d'ananas et le sucre. Ajouter les jus d'orange et de citron. Verser le rhum. Mélanger à la cuillère. Placer au centre du cup un grand morceau de glace ou des glaçons.

Au moment de servir, ajouter le ginger ale.

Agrémenter d'ananas, de tranches d'orange, de cerises, de fraises et d'autres fruits de saison.

Champagne cup

25 pers.

3 ananas bien mûrs
6 oranges
4 pamplemousses
500 g. de fraises
250 g. de sucre en poudre
1 bouteille de cognac
1/2 bouteille de curaçao rouge
1/2 bouteille de marasquin
Champagne.

Macération : 2 heures.

Couper les ananas, les oranges et les pamplemousses en tranches. Les mettre dans un récipient avec les autres ingrédients. Mettre le tout au réfrigérateur pendant deux heures.

Servir dans des flûtes. Compléter avec du champagne.

Brandy shrub

10 pers.

5 citrons
2 bouteilles de cognac
1 bouteille de sherry.

Macération : 3 jours.

Mettre dans un grand récipient l'écorce de deux citrons et le jus de cinq citrons puis deux bouteilles de cognac. Couvrir et laisser macérer pendant trois jours.

Ajouter une bouteille de sherry (Jerez Amontillado Seco). Passer à travers un linge et mettre en bouteilles.

C'est une boisson délicieuse pour la saison chaude.

CONSEILS

Le meilleur jus d'orange est le jus d'orange pressée. Les variétés sont différentes et certaines oranges donnent plus de jus que d'autres. Pour obtenir un maximum de jus, il est recommandé de plonger les oranges au préalable dans de l'eau chaude.

Un jus d'orange ou de citron pressé ne se conserve pas plus d'une journée et se garde dans le réfrigérateur.

Sangria

10 pers.

Quelques fruits variés
1 orange
1 citron
Noix de muscade râpée
Cannelle en poudre
Sucre ou sirop de sucre de
canne
2 l. de vin rouge ou rosé
1/2 bouteille de rhum blanc
50° ou 1 bouteille de curaçao.

Repos : 1 heure et demie.

Couper quelques fruits en ron-delles ou en quartiers (ananas, pêche, banane, pamplemousse, etc.). Couper en rondelles l'orange et le citron avec le zeste.

Mettre le tout dans un cup avec l'alcool de votre choix. Ajouter une pincée de noix de muscade et une cuillerée à café de cannelle en poudre. Sucrer selon votre goût. Remplir de vin. Bien mélanger.

Mettre dans le réfrigérateur pendant 1 heure et demie.

Si l'on aime boire bien glacé, on peut ajouter des glaçons au mo-ment de servir.

Citronnade

8 pers.

1 l. d'eau
5 citrons
200 g de sucre.

    Faire bouillir eau et sucre.
    Ajouter le jus des citrons. Passer. Servir très frais.

Orangeade

8 pers.

- *1 l. d'eau*
- *5 citrons*
- *200 g de sucre.*

    Faire bouillir eau et sucre.
    Ajouter le jus des citrons. Passer. Servir très frais.

    Les deux préparations se servent dans des verres hauts et droits, éventuellement givrés : décorer avec des demi-rondelles de citron ou d'orange cannelés.

Pamplemousse cerise

8 pers.

8 pamplemousses
1 dl. de sirop de cerise
8 cerises confites
Quelques feuilles de menthe fraîche.

    Tailler deux fines tranches de pamplemousse. Réserver pour le décor des verres. Presser les pamplemousses, réserver le jus au frais.
    Givrer 8 verres à pied, verser le jus de pamplemousse. Faire couler très délicatement un peu de sirop de cerise afin qu'il reste au fond du verre. Décorer avec les feuilles de menthe et les cerises confites.

Cocktail antillais

8 pers.

1 demi-ananas
6 oranges
2 citrons
5 cl. de sirop de menthe
Quelques feuilles de menthe fraîche.

    Canneler un citron et une orange, détailler chaque agrume en 8 fines rondelles. Réserver pour le décor des verres. Presser les 5 oranges et le citron restants.
    Eplucher le demi-ananas, en réserver 8 fines demi-tranches pour le décor des verres. Hacher puis mixer le reste de pulpe, ajouter les jus d'orange et de citron. Réserver au frais.
    Givrer 8 verres hauts. Verser le mélange de jus de fruits. Faire couler très délicatement un peu de sirop de menthe afin qu'il reste au fond du verre. Décorer avec les feuilles de menthe, les fines demi-tranches d'ananas, les rondelles de citron et d'orange cannelés.

    Ces deux préparations doivent être agitées avant dégustation. Prévoir cuillères à café ou cuillères à mélange (en plastique).

Tomato

8 pers.

1 kg. de tomates bien mûres
4 citrons
1 pincée de muscade râpée
1 cuillerée à café de sucre en poudre
1 demi-cuillerée à café de sel de céleri
1 cuillerée à potage de persil ciselé
Quelques feuilles de basilic.

    Plonger quelques minutes les tomates dans l'eau bouillante afin de pouvoir retirer la peau. Les couper en deux. Les épépiner.
    Canneler un citron. Le détailler en 8 tranches fines. Réserver pour le décor des verres. Presser les 3 autres citrons.
    Mixer la pulpe des tomates. Ajouter jus de citron, muscade, sucre et sel de céleri. Réserver au frais.
    Servir dans des verres hauts. Ajouter éventuellement des glaçons. Saupoudrer de persil ciselé, décorer avec des feuilles de basilic et des tranches de citron cannelé.

Apple tea

1 pers.

8 cl. de thé
8 cl. de jus de pomme
1 cuillerée à café de miel
1/2 bâton de cannelle.

    Faire chauffer à feu doux, dans une casserole, le thé, le jus de pomme, le miel et la cannelle.
    Servir dans un verre épais.
    Garnir d'une tranche de pomme.

Ginger orange

1 pers.

20 cl. de jus d'orange
1/2 cuillerée à café de gingembre en poudre
2 traits de tabasco.

    Chauffer les ingrédients.
    Servir avec des zestes d'orange.

Kir

8 pers.   ✗ ⊙⊙

15 cl. de crème de cassis
1 bouteille de vin blanc « Bour-
gogne aligoté ».

Très connu et apprécié, se sert frais dans des verres à vin. Peut se préparer d'avance en carafe pour des quantités importantes.

Champagne framboise

8 pers.   ✗ ⊙⊙⊙

15 cl. de crème de framboise
1 bouteille de champagne
8 framboises fraîches.

Servir très frais dans des flûtes à champagne avec une framboise entière dans chaque verre.

Vin blanc « cerise »

8 pers.   ✗ ○

15 cl. de sirop de cerise
1 bouteille de vin blanc.

Servir bien frais dans des verres à vin.

Myro

8 pers.   ✗ ○

15 cl. de crème de myrtille
1 bouteille de vin rosé.

Servir très frais dans des verres à vin.

Vin rose « normand »

8 pers.   ✗ ○

15 cl. de sirop de pomme
1 bouteille de vin rosé.

Servir très frais dans des verres à vin.

Cidre framboise

8 pers.   ✗ ○

15 cl. de crème de framboise
1 bouteille de cidre bouché
8 framboises fraîches.

Servir très frais dans des flûtes à champagne avec une framboise entière dans chaque verre.

Pâte à frire

8 pers. ✗ ○
Prép. : 20 mn.

250 g. de farine
2 œufs
3 blancs d'œufs
5 cl. d'huile
2,5 dl. de bière
5 g. de sel fin.

Mélanger dans un saladier la farine, 2 œufs entiers, le sel et la bière à l'aide d'une spatule en bois, répandre l'huile sur la surface. Laisser reposer dans un endroit frais.

Monter les trois blancs d'œufs en neige, les incorporer délicatement à la pâte en « coupant » à l'aide d'une spatule. La pâte est prête à l'emploi.

Pâte brisée

8 pers. ✗ ○
Prép. : 15 mn.

200 g. de farine
100 g. de beurre
1 jaune d'œuf
4 cl. d'eau environ
1 pincée de sel (pour la pâtisserie
30 g. de sucre semoule).

Disposer la farine en fontaine, mettre au centre le beurre en parcelles, l'eau, le jaune d'œuf, le sel et éventuellement le sucre semoule.

Mélanger les ingrédients du bout des doigts, sauf la farine. Ajouter progressivement celle-ci, ne pas trop travailler la pâte.

« Fraiser », c'est-à-dire pousser en écrasant devant soi avec la paume de la main. Répéter plusieurs fois l'opération, jusqu'à ce que la pâte fasse une boule homogène.

Réserver au frais.

Pâte feuilletée

8 pers. ✗✗✗ ○
Prép. : 40 mn.

300 g. de farine
225 g. de beurre ou de margarine
à feuilletage
6 g. de sel fin
1,5 dl. d'eau.

Disposer la farine en fontaine, mettre au centre eau et sel, faire absorber progressivement à la farine toute l'eau en malaxant du bout des doigts (ne pas trop travailler cette pâte appelée « détrempe »), réunir le tout en une boule de pâte bien homogène. Laisser reposer au frais 20 minutes.

Abaisser la « détrempe » en un rectangle dont le centre sera plus épais que les bords. Disposer au centre (partie plus épaisse) la matière grasse préalablement malaxée (même consistance que la détrempe). Enfermer la matière grasse dans la détrempe en ramenant les bords de celle-ci vers le centre. Abaisser la pâte en un rectangle de 20 cm × 60 cm, plier en trois afin d'obtenir un carré de 20 cm × 20 cm environ (1er tour). Donner à la pâte un quart de tour sur elle-même pour exécuter le deuxième tour : abaisser 20 cm × 60 cm, plier en trois.

Laisser reposer au frais 20 minutes. Donner de nouveau 2 tours.

Laisser reposer au frais 20 minutes. Donner les deux derniers tours. La pâte est prête à l'utilisation (la conserver dans un linge humide afin d'éviter qu'elle ne croûte).

Pâte à brioche
(commune)

8 pers. ✗✗ ○
Prép. : 20 mn.
Temps de « pousse » : 1 h 30 min.
Repos au frais : 2 h minimum.

250 g. de farine
125 g. de beurre
10 g. de levure de bière
3 cl. d'eau
5 g. de sel
3 œufs
10 g. de sucre semoule
3 cl. de lait.

Faire ramollir le beurre à la température ambiante.

Délayer la levure dans l'eau tiède, puis le sucre et le sel dans le lait froid.

Disposer la farine en fontaine, mettre au centre la levure délayée et 1 œuf entier, y incorporer un peu de farine, puis le lait avec sel et sucre, un deuxième puis un troisième œuf. Continuer à travailler la pâte jusqu'à ce qu'elle devienne élastique.

Incorporer le beurre en pommade. Pétrir à nouveau, la laisser lever (couverte d'un linge) 1 heure 30 minutes environ dans un endroit tiède.

Rompre la pâte et ralentir la fermentation au réfrigérateur 1 à 2 heures.

CONSEIL

Il est préférable de faire la pâte à brioche la veille.

Pâte à brioche
« fine »

8 pers. ✗✗ ∞
Prép. : 20 mn.
Temps de « pousse » : 1 h 30 min.
Repos au frais : 2 h minimum.

Même recette avec 200 g. de beurre au lieu de 125 g.

Pâte à choux

8 pers. ✗ ○
Prép. : 15 mn.

1/4 lit. d'eau
150 g. de farine
4 œufs
100 g. de beurre
1 pincée de sel (pour la pâtisserie
12 g. de sucre semoule).

Mettre l'eau, le beurre, le sel et éventuellement le sucre dans une casserole.

Faire bouillir, ajouter en une seule fois la farine. Travailler sur le feu, avec une spatule en bois jusqu'à ce que la pâte se détache du récipient et forme une boule bien homogène.

Retirer du feu et ajouter les œufs un à un, la pâte doit être alors collante. Réserver hors du feu.

Pâte à crêpes

8 pers. ✗ ○
Prép. : 10 mn.

0,5 lit. de lait
250 g. de farine
3 œufs
40 g. de beurre
Sel
50 g. de sucre semoule.

Disposer la farine « en fontaine » dans un saladier. Ajouter au centre le sel, le sucre semoule (éventuellement) et les œufs entiers.

Verser progressivement le lait en remuant sans discontinuer, la pâte doit rester lisse, parfaitement homogène.

« Passer » au chinois afin d'obtenir une pâte lisse.

Laisser reposer la pâte.

Au moment de l'utilisation, faire fondre le beurre, l'ajouter à la pâte, mélanger délicatement.

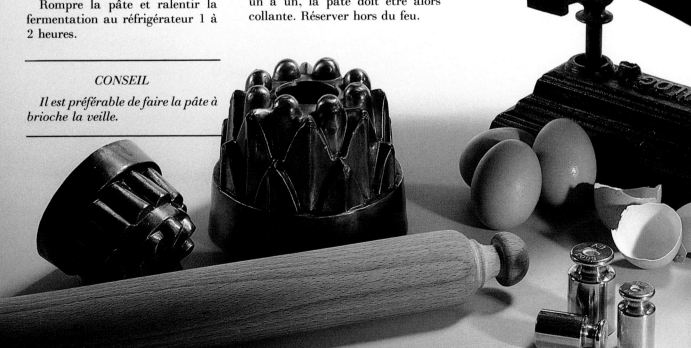

LEXIQUE

Abaisser : étaler ou étendre de la pâte à égale épaisseur.

Aiguillette : morceau de viande coupé mince et long (aiguillette de canard).

Appareil : ensemble de différents ingrédients d'une préparation culinaire (ex. : appareil à soufflé, appareil à biscuit).

Barde : fine tranche de lard gras dont on enveloppe un rôti avant cuisson.

Beurre manié : beurre ramolli mélangé avec de la farine à quantité égale pour lier une sauce.

Blanchir : plonger certains légumes dans de l'eau bouillante pour les attendrir.

Chiffonnade : émincé d'oseille, de laitue, de persil ou de cerfeuil.

Ciseler : découper finement un légume ou une herbe culinaire.

Darne : tranche épaisse de poisson.

Détendre : incorporer du liquide à une préparation.

Dresser : disposer joliment les mets sur un plat de service.

Ebarber : enlever les nageoires (avec des ciseaux) ou la barbe d'un coquillage.

Emincer : couper en minces tranches.

Escaloper : couper poissons ou viandes en tranches minces et en biais.

Glacer : refroidir ou durcir une boisson ou un aliment. C'est aussi obtenir une couche brillante et lisse à la surface d'une préparation.

Julienne : légumes variés, coupés en bâtonnets.

Lustrer : enduire un mets d'un liquide à l'aide d'un pinceau pour le faire briller.

Napper : recouvrir un mets avec une sauce, une crème, du jus.

Paner : tremper un mets dans de la chapelure avant de le faire cuire.

Parer : débarrasser légumes, fruits, viandes, de ce qui n'est pas consommable.

Pluches : petites feuilles sans tiges : pluches de cerfeuil.

Saisir : exposer à un feu très vif, dès le début de la cuisson.

Tourner : préparer des légumes (carottes, pommes de terre) pour leur donner une forme régulière.

TABLE DES MATIERES